60 nouvelles expériences faciles et amusantes !

Delphine Grinberg

Laure Cassus
Isabelle Chavigny
Isabelle Pellegrini
Karine Eyre

La collection *Croq'sciences* est née de la démarche développée à la Cité des enfants (Cité des sciences et de l'industrie) qui propose des expositions et des activités au cœur des sciences et des techniques. Rendre les enfants curieux du monde qui les environne en y associant le plaisir de la découverte est l'un des objectifs essentiels de la Cité des enfants.

universcience
éditions

Nathan

sommaire

Les défis

Expériences avec le corps

Expériences avec les plantes

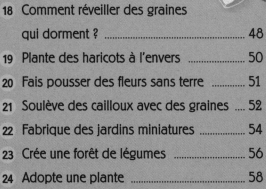

Tu ne sais pas quelle expérience choisir ?

Va voir page 6.

Expériences pour découvrir l'espace

Expériences avec les sons

Expériences pour construire

Expériences avec l'air

Es-tu curieux de connaître ce qui t'entoure ?

Si tu réponds « oui », ce livre est fait pour toi.
Il contient de vraies expériences scientifiques. Essaie-les !
Tu découvriras mille choses passionnantes qui te permettront
de mieux comprendre le monde, et tu t'amuseras beaucoup !

Quiz

À ton avis, vrai ou faux ?

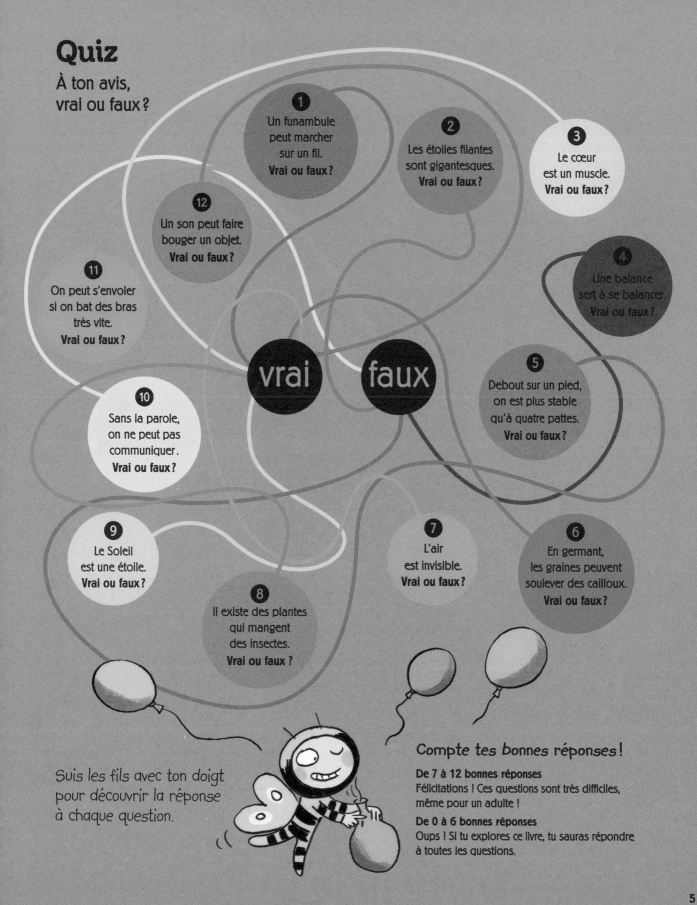

1 Un funambule peut marcher sur un fil. **Vrai ou faux ?**

2 Les étoiles filantes sont gigantesques. **Vrai ou faux ?**

3 Le cœur est un muscle. **Vrai ou faux ?**

12 Un son peut faire bouger un objet. **Vrai ou faux ?**

4 Une balance sert à se balancer. **Vrai ou faux ?**

11 On peut s'envoler si on bat des bras très vite. **Vrai ou faux ?**

vrai   faux

5 Debout sur un pied, on est plus stable qu'à quatre pattes. **Vrai ou faux ?**

10 Sans la parole, on ne peut pas communiquer. **Vrai ou faux ?**

9 Le Soleil est une étoile. **Vrai ou faux ?**

7 L'air est invisible. **Vrai ou faux ?**

6 En germant, les graines peuvent soulever des cailloux. **Vrai ou faux ?**

8 Il existe des plantes qui mangent des insectes. **Vrai ou faux ?**

Suis les fils avec ton doigt pour découvrir la réponse à chaque question.

Compte tes bonnes réponses !

De 7 à 12 bonnes réponses
Félicitations ! Ces questions sont très difficiles, même pour un adulte !

De 0 à 6 bonnes réponses
Oups ! Si tu explores ce livre, tu sauras répondre à toutes les questions.

Comment choisir une expérience ?

Si tu hésites, Lola et ses amis peuvent te conseiller.

facile !

Les 5 expériences les plus faciles :

7 Habille un robot !

12 Si tu ne pouvais plus bouger...

29 Fabrique une planète imaginaire

37 Installe un tunnel chez toi

55 Dessine avec le vent

réfléchis bien !

5 expériences super casse-tête :

35 Fabrique une pyramide

46 Qui se cache dans la boîte ?

47 Fabrique des sons avec les verres

58 Transporte de l'eau avec une paille

59 Empêche une bouteille trouée de fuir

whaou ! c'est beau !

Les 5 expériences les plus merveilleuses :

17 Miroirs déformants

20 Fais pousser des fleurs sans terre

23 Crée une forêt de légumes

25 Pars à la découverte du ciel étoilé

48 Joue de la musique avec le peigne à sons

magique ? non, scientifique !

Les 5 expériences les plus stupéfiantes :

1 Le mouchoir sec au fond de l'eau

3 Le pont en papier

4 La cloche de la penderie

5 Retourne un verre plein d'eau sans en renverser une goutte !

43 Fabrique un funambule

Comment réussir
tes premières expériences ?

Au début, tu auras peut-être des problèmes, comme Lola et ses amis.
Mais si tu suis ces conseils, tu deviendras vite un champion.

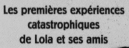

Les premières expériences catastrophiques de Lola et ses amis

Hou là là !

Au début, ils ont eu quelques problèmes.
Évite de faire comme eux.

Je trouvais ça nul si ça ne marchait pas tout de suite.

Ne te décourage pas.
En t'exerçant, tu réussiras de mieux en mieux.

Si je me trompais, je boudais.

Même les scientifiques font des erreurs.
Parfois, c'est en ratant qu'ils font de grandes
découvertes. N'aie pas peur de te tromper !

J'ai voulu découper tout seul la bouteille en plastique.

Demande de l'aide à un adulte
pour couper, percer, et pour
tout ce qui pourrait être dangereux.

J'ai emprunté des ustensiles sans demander à mes parents.

Mais où est donc passé le saladier ?

Avant d'utiliser un objet pour les expériences,
demande à tes parents si tu peux t'en servir.

*Je n'avais même pas le temps de jouer
quand j'avais fini de construire.*

On mange !

Construire, ça prend du temps.
Si tu veux jouer après,
prévois tout un après-midi.

Je ne voulais pas qu'on défasse mes constructions

Tes parents apprécieront mieux
tes expériences si tu ranges tout après.

Je n'ai pas fait comme c'est écrit dans le livre.

Et pourquoi pas ? Tu peux inventer mille
et une expériences, avec ou sans matériel.

Je voulais que ma plante pousse en une minute.

Allez, grandis !

Sois patient ! Les plantes
ont besoin de prendre leur temps.

Tu es prêt?

Pour commencer, si tu lançais
de drôles de défis aux grandes personnes?
Tu vas peut-être beaucoup les étonner...

Le défi : le mouchoir sec au fond de l'eau

Est-il possible de plonger un mouchoir dans l'eau sans le mouiller ?
Si tu as une boîte avec un couvercle bien fermé, comme Frisson, c'est facile.
Mais si tu as seulement un verre, comment faire ? Même si tu t'y prends
comme le grand-père de Frisson qui fait un couvercle avec ses grands doigts,
l'eau pourra passer, et le mouchoir sera tout mouillé…

Trop facile avec un couvercle !

Et pourtant… tu pourras y arriver, en utilisant juste un verre et tes petits doigts.

Demande à ton grand-père de te prêter un mouchoir.

Coince le mouchoir au fond du verre
en le tassant bien. Puis retourne le verre,
et plonge-le doucement, mais sans pitié,
au fond de l'eau. Compte jusqu'à 10.
Le verre doit rester bien droit.

Sors le verre de l'eau.
Demande à ton grand-père de toucher
son mouchoir.

C'est sec !
Ô, grand magicien,
montre-moi
ton secret !

Petit polisson,
s'il est tout mouillé,
comment je vais faire
pour me moucher ?

Abracadabra,
mouchoir, mouchoir,
plonge dans le bain
qui ne mouille pas !

D'accord,
mais juste à toi !

Remets le mouchoir dans le verre,
bien tassé. Plonge à nouveau
le verre dans l'eau, mais cette fois,
penche-le un peu.

*Tu le vois mon secret ?
C'est un truc
qui fait des bulles !*

Le secret, c'est l'air !

Le verre paraissait vide, mais il était plein
d'air. Cet air a fait comme une barrière
invisible, qui a empêché l'eau d'entrer.
Il a protégé le mouchoir beaucoup mieux
que les doigts de ton grand-père !

Où y a-t-il de l'air ?

Partout, même dans ta bouche, au fond d'un tiroir,
ou dans une bouteille vide. Imagine que l'air soit
rose, et qu'on puisse le voir…

Quelle forme a l'air ?

Il n'est ni rond, ni carré, ni pointu.
Il n'a pas de forme. Il prend exactement la forme
de l'endroit dans lequel il se trouve.

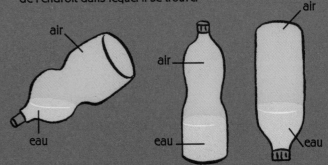

Si tu dessinais l'air dans ces bouteilles,
quelles formes aurait-il ?

Le défi : fais pousser des plantes carnivores !

Beaucoup d'animaux mangent des plantes.
Mais des plantes qui mangent des animaux, il y en a peu : ce sont les plantes carnivores. Ces plantes poussent dans des sols très pauvres. Alors, pour survivre, elles se sont adaptées en capturant des insectes.

!

dionée

Voudrais-tu cultiver une plante carnivore, la dionée ?

Ce n'est pas difficile, mais il faudra bien connaître ses besoins et les respecter.

On trouve des dionées dans les jardineries

14

Un beau jour, une plante carnivore est arrivée chez Plume.
Elle ne savait pas du tout comment s'en occuper.

Comment l'installer ?

Dans la nature, la dionée vit sur des terres pauvres, en Amérique du Nord… Pas du tout dans des petits pots pour décorer les maisons ! Comment l'installer pour qu'elle vive bien avec toi ?

Ça y est, je sais ce qu'il lui faut.

J'aimerais bien te mettre près de mon lit, mais tu serais malheureuse.

La dionée a besoin de beaucoup de lumière, et elle ne craint pas la pluie. Elle sera bien dehors au soleil, ou au bord d'une fenêtre plein sud. L'hiver, elle aime le froid mais elle ne doit pas geler. Elle passe bien l'hiver dans le bac à légumes du réfrigérateur.

Faut-il l'arroser ?

La terre doit toujours rester humide. Il faut mettre le pot sur une coupelle, avec 1 cm d'eau. La plante boira par les trous au fond de son pot. Attention ! Ne l'arrose pas avec de l'eau du robinet : cette eau pourrait la faire mourir car elle est trop riche. Il faut de l'eau de pluie ou de l'eau déminéralisée.

Voilà de la bonne eau pure pour toi.

Et si je te donnais un peu de terre bien riche pour que ta plante grandisse mieux ?

Non merci, elle a de la terre spéciale.

La plante pousse dans des marécages ou dans les terres pauvres des tourbières. Si on lui donne le terreau riche des géraniums, elle n'appréciera pas du tout !

Faut-il lui donner des insectes à manger ?

La plante se débrouille très bien toute seule pour attraper les quelques insectes dont elle a besoin. Si on lui donne trop à manger, elle peut mourir d'indigestion (et elle pourrit). Si tu as très envie de lui donner un insecte, il ne faut pas plus d'un moustique ou d'une petite mouche par semaine.

Allez, petite plante : c'est à toi d'attraper des mouches…

Comment fonctionne le piège à insectes des plantes carnivores ?

À l'intérieur de chaque feuille, il y a de minuscules poils. Si un insecte touche 2 poils, le piège se refermera instantanément sur lui.

Quelques jours plus tard, le piège se rouvrira, et on verra les restes de l'animal que la plante n'a pas pu digérer.

Et si je mets mon doigt dedans ?

Si on met un doigt ou un objet dans un piège pour s'amuser, il se fermera. Mais il n'y a aucun risque que la plante mange le doigt d'un enfant ! Pourtant, il faut éviter de le faire, car cela fatigue beaucoup la plante : chaque piège peut se fermer seulement 2 ou 3 fois. Ensuite, il meurt.

Le défi : le pont en papier

Est-il possible de poser une grande pile de livres sur une feuille de papier, et de faire rouler une bille dessous ? Si tu imites Bidoum, même avec du Scotch et des livres minuscules, tout va dégringoler !

Même si je mets plein plein plein de Scotch ?

Et tu pourras même lancer un défi aux grandes personnes.

Pourtant, tu y arriveras quand tu connaîtras le secret de la feuille de papier.

Découpe la feuille de papier
en 4 bandes identiques, puis roule
les bandes pour faire 4 petits tubes.

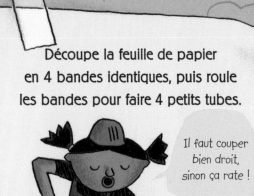

Il faut couper
bien droit,
sinon ça rate !

... Et serre
un peu plus.
Il faut faire
2 tours et hop,
tu scotches !

D'ac !

Attention,
j'ai le trac !

Choisis un grand livre,
et pose-le sur les tubes aux 4 coins.
Continue à poser doucement
2, 3, 4... 19 livres.

C'est moi
qui vais lancer
la bille !

Tu peux continuer à poser
des livres pour voir quand ça tombera.

Hé hé !

Ouh là !

Si tu t'es bien exercé, tu peux lancer
un défi aux grandes personnes.

Êtes-vous capables de faire
tenir ces livres sur cette feuille
de papier, sans qu'elle s'aplatisse ?

Dis-leur qu'ils ont simplement
le droit de découper la feuille et d'utiliser
4 morceaux de Scotch.

Le secret de la feuille de papier

Une feuille, ça a l'air fragile. Et c'est vrai
que même un bébé peut la déchirer facilement.
Pourtant, le papier peut devenir vraiment solide
si on lui donne certaines formes. Par exemple,
un triangle ou un cylindre en papier résistent
bien si on pose un poids dessus.

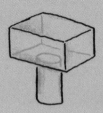
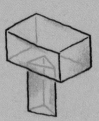

As-tu déjà démantibulé
du carton ondulé ?

Si tu déchires un bout de carton, tu peux
remarquer qu'il est fait avec 3 feuilles de papier
souples. Ces feuilles sont collées d'une façon
spéciale : elles forment pleins de petits triangles
les uns à côté des autres. Ces triangles,
c'est le secret de la solidité du carton ondulé.

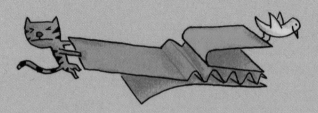

Le défi : la cloche de la penderie

Es-tu capable de créer le son d'une grosse cloche avec un cintre en métal, une ficelle et un crayon ?

Si je tape le crayon contre le cintre, je n'entends presque rien !

Si tu fais comme Zim Boum Pouët, même en tapant de toutes tes forces, tu n'entendras qu'un petit « gling » !

Et pourtant, tu vas pouvoir produire un son de cloche grâce à un simple cintre.

Tes parents n'en croiront
pas leurs oreilles !

Prends un cintre en fil de fer
et une ficelle d'environ 1 mètre.

Accroche le cintre à la ficelle.
Prends le crayon.

Mets les bouts
de la ficelle dans tes oreilles
et penche-toi
légèrement en avant.

Tape 4 fois sur le cintre avec le crayon.

Fermez les yeux et écoutez !

Oh ! mais ça me rappelle la cloche du village qui sonnait toutes les heures !

Zim Boum Pouët, tu es mon sonneur de cloche préféré ! Et 4 coups, c'est l'heure du goûter !

Quand tu frappes le cintre, il se met à trembler. On appelle cela des vibrations.

Dans l'air, ces vibrations se dispersent dans tous les sens.

Quand le cintre est accroché à la ficelle reliée aux oreilles, les vibrations sont transmises à la ficelle, puis directement aux oreilles. On entend alors un son beaucoup plus fort.

Si tu touches légèrement la ficelle quand le cintre vibre, tu sens les vibrations te chatouiller le doigt !

Maintenant, allons goûter !

25

Le défi : retourne un verre plein d'eau sans en renverser une goutte !

Est-il possible de retourner un verre sans renverser toute l'eau qu'il contient ?
Si tu t'y prends comme Lola, tu risques surtout de faire une inondation !
C'est normal : l'eau a un poids et lorsqu'elle n'est plus retenue par les parois du verre, elle tombe.

Si ta maman te dit souvent de faire attention
à ne pas renverser de l'eau quand tu veux
te servir un verre, lance-lui un défi !

Impossible !

Je sais très bien me servir de l'eau
et je peux même retourner
un verre plein d'eau sans renverser
une seule goutte !

Remplis un verre d'eau à ras bord et pose-le dans une grande bassine. Fais glisser un morceau de papier cartonné bien à plat pour couvrir le haut du verre. Vérifie que le papier adhère bien au bord du verre.

Un conseil : pour que ce soit plus facile, prends du papier cartonné ou plastifié.

D'une main, tiens le verre et pose l'autre main à plat sur le papier cartonné. Retourne le verre d'un geste vif au-dessus de la bassine.

Abracadabra, eau, ne coule pas !

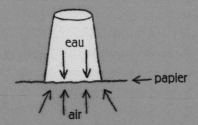

Enlève délicatement la main qui tient le papier : le papier reste « collé » contre le verre et pas une goutte ne tombe ! D'un geste vif, remets le verre à l'endroit.

Waouh ! Bravo Lola !

Et voilà !

Comment l'eau peut-elle rester dans le verre ?

eau

← papier

air

À l'extérieur du verre, l'air pousse le papier vers le haut : cette force est plus importante que celle qui pousse l'eau vers le bas. C'est pour çela que l'eau ne tombe pas !

L'air a-t-il un poids ?

Oui. L'air qui nous entoure a un poids : sur chaque centimètre de la peau de ton corps repose plus d'un kilo ! Mais tu ne le sens pas car ton corps y est habitué.

6 Mouvements possibles ou impossibles ?

Tu penses que c'est facile de tenir debout, de parler ou de manger une banane ? Eh bien, pas toujours. Essaie ces expériences avec tes amis ou tes parents, vous risquez d'être surpris.

> Mémé, as-tu mangé ma banane bleue ?

1 Dire la phrase de mémé
Essayer de dire cette phrase sans que les lèvres ne se touchent.

2 Tenir debout sur un coussin
Essayer de tenir en équilibre debout sur un coussin, pieds nus, les yeux bandés, les bras le long du corps, sur une jambe. Compter jusqu'à 10.

Réponses

1. C'est impossible. Personne, dans aucune langue ne peut prononcer les sons [b], [p], [m] sans que les lèvres ne se touchent (ou ne touchent quelque chose).

2-3-4-5 et 8. Au début, c'est difficile, et ça peut même paraître impossible. Mais en s'exerçant beaucoup certaines personnes réussissent.

6. Même si tu es très très souple, c'est impossible : tu tombes en avant. C'est un problème d'équilibre.

7. Si tu es né avec les muscles qui permettent de rouler la langue, c'est très facile. Sinon, c'est presque impossible, même en s'exerçant beaucoup.

3 Manger un yaourt sans voir

Faire manger un yaourt à quelqu'un, en ayant tous les deux les yeux bandés.

4 Éplucher une banane d'une seule main

Essayer d'éplucher et de manger une banane avec une seule main.

5 Dessiner avec le pied

Prendre un crayon avec les orteils et dessiner un bonhomme avec le pied.

6 Attraper un secret

Préparer un secret dans une enveloppe et le poser par terre. Essayer de l'attraper en étant debout contre un mur, jambes tendues. (Attention : les fesses et les talons doivent toucher le mur.)

7 Rouler la langue

Essayer de rouler la langue comme sur l'image.

8 Faire le poirier

Tenir en équilibre sur la tête et les mains, jambes tendues. Compter jusqu'à 10.

7

Habille un robot !

Sauras-tu donner les ordres nécessaires à un robot très bête
pour qu'il enfile une veste ?

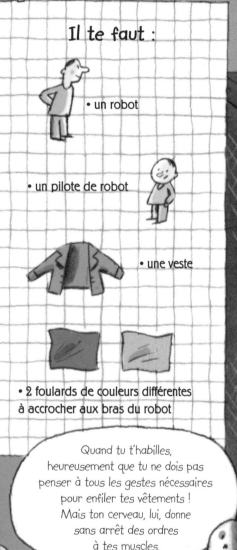

Il te faut :

• un robot

• un pilote de robot

• une veste

• 2 foulards de couleurs différentes
à accrocher aux bras du robot

> Quand tu t'habilles,
> heureusement que tu ne dois pas
> penser à tous les gestes nécessaires
> pour enfiler tes vêtements !
> Mais ton cerveau, lui, donne
> sans arrêt des ordres
> à tes muscles.

À toi de jouer !

La veste est posée sur une chaise. Le pilote doit
donner des ordres au robot pour qu'il l'enfile.
Mais ce robot ne comprend que les ordres ci-dessous.

| LÂCHER | TENDRE | LEVER | AVANCER | TOURNER |
| ATTRAPER | PLIER | BAISSER | RECULER | STOP |

Robot,
baisser
bras
rouge !

Action
exécutée !

Par exemple, le pilote dit :
« ROBOT, BAISSER BRAS ROUGE ! »

Et le robot baisse le bras au foulard rouge. Combien d'ordres
faut-il donner au robot pour qu'il enfile sa veste ?

Et si tu essayais des actions plus compliquées ?

• donner le moins d'ordres possibles,
• remplir un verre d'eau,
• piloter plusieurs robots en même temps.

8

Transforme-toi en statue

Essaie de ne faire aucun mouvement pendant une minute.
Ça a l'air facile ?

Il te faut :

- une personne pour faire la statue
- une personne pour observer
- une montre ou un chronomètre
- une bouchée de pain
- un drap pour le costume de la statue
- un grand miroir pour qu'elle se voie

3-2-1-0,
statue
tu es devenue !

Suis exactement les indications ci-dessous.

La future statue mange le pain.
Elle se met sur un pied, lève un bras, les yeux ouverts.
La personne qui surveille le temps touche doucement
la statue pour vérifier qu'elle ne bouge pas.

Tu penses avoir réussi à rester immobile ?

Impossible ! Pendant la minute où tu étais une statue :
- Tes paupières se sont fermées plusieurs fois.
- Tes poumons se sont gonflés 8 à 12 fois.
- Le sang qui était dans ton pouce est arrivé à ton cœur.

- Ton cœur a battu plus de 100 fois.
- Ton estomac a commencé à transformer le pain en bouillie.
- Tes muscles se sont contractés pour que tu ne tombes pas.
- Tu as même un tout petit peu grandi !

Si un adulte te dit :
« Arrête de bouger
tout le temps... »,
tu peux lui répondre :
« C'est impossible,
sinon je serais mort ».

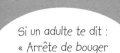

Fabrique Kicos, le petit squelette

Kicos est un acrobate. Ce petit squelette aime marcher, danser, sauter.
Mais ce qu'il préfère, c'est faire des mouvements impossibles pour les humains.
Fais-le bouger dans tous les sens, invente des mouvements étranges.
Tu peux même essayer de lui mélanger les bras et les jambes…

Il te faut :
- les morceaux de Kicos le squelette (p. 117)
- 8 attaches parisiennes
- du carton (type boîte de céréales)

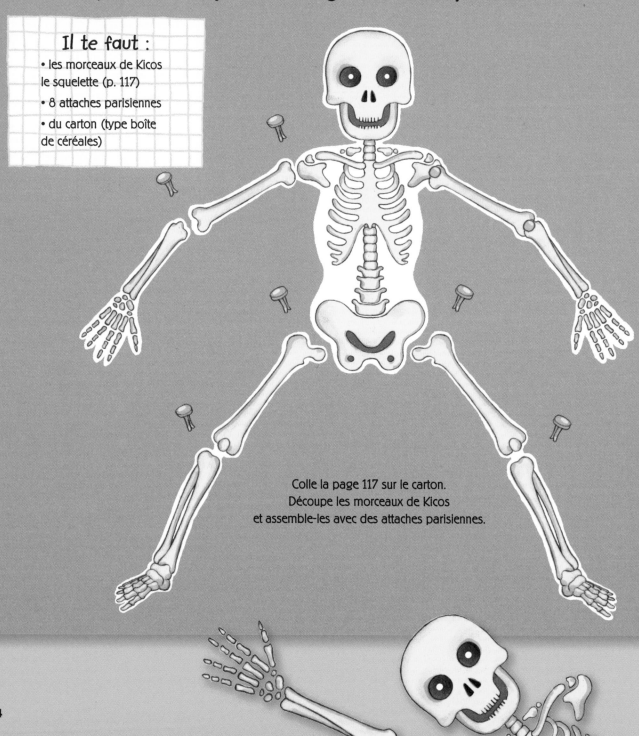

Colle la page 117 sur le carton.
Découpe les morceaux de Kicos
et assemble-les avec des attaches parisiennes.

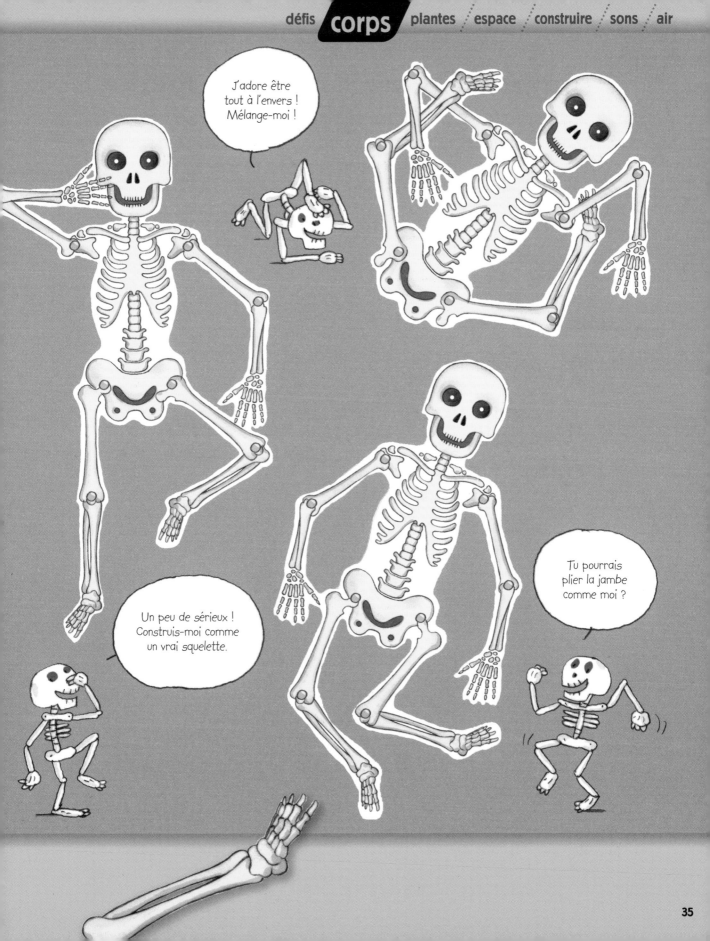

Rampe comme un animal

Ramper, c'est se déplacer sur son ventre.
Mais sais-tu qu'il existe plusieurs façons de ramper ?
Essaie-les : laquelle préfères-tu ?

Le parcours des rampants

Prépare un parcours, et lance-toi en rampant à toute vitesse. Si vous êtes plusieurs, faites la course des rampants.

DÉPART

ARRIVÉE

Ramper comme...

... une chenille

Elle soulève le milieu de son corps. Elle s'accroche avec ses fausses pattes arrière, et pousse. Pour ramper comme elle, soulève tes fesses et pousse en avant !

... un serpent

Il ondule d'un côté, puis de l'autre. Pour ramper comme lui, courbe ton corps dans un sens puis dans l'autre, et avance.

... un escargot

Il dépose une couche de bave sur le sol. Il fait onduler des petits muscles. En réalité, c'est impossible pour un humain de ramper comme un escargot.

... un bébé

Avant de savoir marcher, beaucoup de bébés rampent pour se déplacer. Pour ramper comme un bébé, pousse avec tes bras, tes pieds et tes genoux.

11

Peux-tu voler comme un oiseau ?

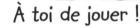

À toi de jouer !

Essaie. Fais précisément les mouvements que fait un oiseau qui s'envole.

Sautille pour te donner de l'élan. Bats des bras fort et vite.
Quand tu montes les bras, ouvre les doigts, comme l'oiseau
qui écarte ses plumes. Quand tu baisses les bras,
ferme les doigts comme l'oiseau qui resserre ses plumes.
Décolles-tu ? Eh non !
Tu ne t'envoleras pas car tu es un humain.

Ne te mets surtout pas
au bord d'une fenêtre,
ce serait très dangereux !

Pourquoi les oiseaux peuvent-ils voler mais pas les hommes ?

L'oiseau a des ailes et des plumes qui
s'appuient sur l'air. Il a de grands poumons
et des sacs d'air pour s'alléger. Ses os sont
creux et fins. Il a un bec plus léger que
des dents.

Le corps de l'homme
n'est pas adapté pour voler.
Il n'a pas d'ailes. Ses os sont lourds.
Ses dents sont lourdes. Il a des poumons
plus petits que ceux des oiseaux.
Mais il vole quand même, grâce aux avions
et aux machines volantes qu'il a inventés.

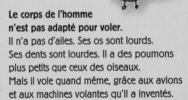

Si tu ne pouvais plus bouger...

Bloque ton bras avec une attelle,
comme si tu avais un plâtre. Ensuite, essaie
de faire les gestes que tu fais tous les jours.

> J'ai l'orteil
> qui gigote !

> D'abord,
> il te faut tout
> rassembler !

Il te faut :

• un morceau de
carton fin, comme
celui des paquets
de céréales

• des ciseaux
et du Scotch qui
colle fort

• une casquette, un peigne,
un miroir, une brosse à dents,
un téléphone et des lunettes

Tout est prêt ?
Fabrique ton attelle.

1 Coupe une bande de carton de la
longueur de ton bras. Elle doit aller jusqu'au
poignet. Tu dois pouvoir bouger la main
mais pas le coude.

2 Enroule le carton autour du bras
que tu utilises pour dessiner. Tu peux
faire plusieurs tours. Fixe-le solidement
avec 2 rubans de Scotch. C'est ton attelle.
Tu peux la décorer comme un plâtre.

À toi de jouer !

Essaie de manger, de téléphoner, de te brosser les dents, de mettre un chapeau… Est-ce facile ?

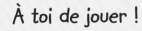

, tu peux
gratter
e nez ?

Ne cours pas avec l'attelle.
Si tu tombes, tu pourrais te faire mal.

Et si tu recommençais différemment ?

Transforme-toi en pantin : fabrique des attelles pour tes bras et tes jambes. Attache une ficelle à chaque attelle, puis quelqu'un te fait bouger en tirant les ficelles.

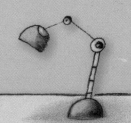

Si tu ne pouvais plus plier le coude...

Dès que tu retires l'attelle, tu peux bouger le bras parce que tu as une articulation. Tu peux la sentir en touchant ton coude. Tu as beaucoup d'os, et beaucoup d'articulations comme le coude. Tu en as suffisamment pour gratter toutes les parties de ton corps.

Où sont tes os et tes muscles ?

Peux-tu voir tes os et tes muscles en te regardant dans un miroir ?
Non, ils sont cachés sous ta peau. Mais tu peux les sentir,
ou même les entendre.

Touche ton bras partout.

Tu sens des parties molles ?
Ce sont des muscles. Tu as
principalement 4 grands muscles
dans le bras, et beaucoup
de petits muscles dans la main.
Tu as trouvé des sortes de ficelles
tendues ? Ce sont les tendons.
C'est l'extrémité des muscles
qui les accroche aux os.

Serre ton poing très fort et plie ton bras.

Tu sens une bosse ? C'est ton
biceps. Plus tu le feras travailler,
plus il sera gros et fort.

Plie ton bras et touche ton coude. C'est dur ?

C'est le bout de ton cubitus.
Tu peux sentir cet os jusqu'au
poignet. En touchant ton poignet,
tu peux aussi sentir le bout
de l'autre os de ton avant-bras :
le radius. Tu as 3 grands os dans
le bras, et 27 dans la main.

Dessine les os de ton bras.

Prends une feuille de papier transparent et décalque le dessin.
Touche ton bras pour sentir les os, et dessine-les pour compléter
le squelette. Quand tu as fini, va voir la solution p. 127.

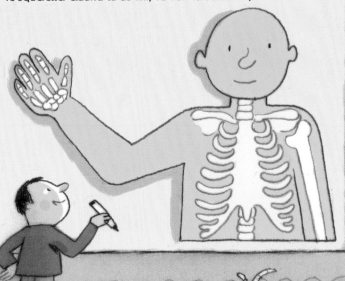

Écoute un muscle qui fait du bruit : le cœur.

Pose ton oreille sur la poitrine.
Entends-tu le cœur battre ?

Boum boum, je t'aime trop !

Ça sonne creux ?

Fais comme la vache qui mâche de l'herbe !

Sens les os de ta tête.

Tapote ton crâne. C'est dur ?

Mets tes mains sur tes joues, sous tes oreilles.
Ouvre et ferme la bouche fort. Tu sens des petites
bosses qui bougent ?

Quelle est la taille de ton cœur ?

Il est gros comme ton poing.
Le cœur est un muscle, comme ton biceps.
Il n'arrête jamais de travailler. Tu entends
un battement à chaque fois qu'il se contracte
pour envoyer du sang dans le corps.

À quoi sert ton crâne ?

Il protège ton cerveau qui est très fragile.
Les petites bosses que tu sens en ouvrant
la bouche sont les articulations de ta mâchoire.
Sans elles, tu ne pourrais ni manger, ni parler.

Guide un ami sans parler

Sauras-tu guider un ami en lui indiquant ce qu'il doit faire uniquement grâce à des petites tapes ?

Il te faut :

- un copain ou une copine

- une maison ou un espace suffisamment grand pour faire un parcours

code du guide sans paroles

Pour avancer

garde ta main dans son dos

Pour s'arrêter

2 petites tapes sur sa tête

À gauche

2 petites tapes sur son épaule gauche

À droite

2 petites tapes sur son épaule droite

À toi de jouer !

1 Avec ton copain, apprends le code pour guider sans parler. Entraînez-vous un peu avant de commencer et... n'oubliez pas d'ouvrir toutes les portes !

2 Démarrez, par exemple, dans la cuisine. Place-toi derrière ton amie et pose ta main sur son dos : c'est parti !

Beaucoup plus difficile !
Tu peux proposer à ton ami de se laisser guider par les mêmes gestes mais avec les yeux bandés.

3 Avec les gestes du code, guide-la jusqu'à ta chambre tout en évitant les obstacles. Attention, ne marchez pas trop vite !

Ne tape pas trop fort sur ton amie !

4 Lorsque vous avez terminé, vous pouvez échanger les rôles et choisir d'autres pièces de la maison comme point de départ.

Certains animaux communiquent aussi par des petites tapes...

Le bébé goéland argenté donne des coups de bec sur celui de sa maman.

Il tape toujours à un endroit bien précis : sur la tache rouge du bec de sa mère. Tchik-tchik-tchik ! Cela veut dire : « Donne-moi à manger ! ». Aussitôt, sa maman régurgite la nourriture qu'elle gardait dans son gosier.

Teste tes sens

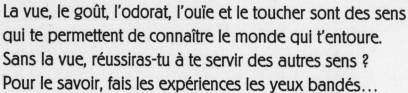

La vue, le goût, l'odorat, l'ouïe et le toucher sont des sens
qui te permettent de connaître le monde qui t'entoure.
Sans la vue, réussiras-tu à te servir des autres sens ?
Pour le savoir, fais les expériences les yeux bandés…

Il te faut :

• un bandeau   • des aliments à goûter

• des échantillons d'odeurs

• des objets
à toucher

• un copain
ou une copine

• des objets à faire
tinter, sonner…

À toi de jouer !

Demande à ton amie de te bander
les yeux, puis faites les expériences.

Le mieux,
c'est d'utiliser
une écharpe !

Expérience 1 : Teste ton ouïe

Ton amie fait tinter ou sonner des objets les uns après les autres. À chaque fois, dis si le son est fort ou faible, agréable ou désagréable, aigu ou grave. Peux-tu deviner de quel objet vient le son ?

Expérience 2 : Teste ton odorat

Ton amie passe lentement des objets sous ton nez. Tu ne dois pas les toucher ! À chaque fois, dis si l'odeur est forte ou douce, agréable ou désagréable. Reconnais-tu ce que tu sens ?

Expérience 3 : Teste ton goût

Ton amie te fait goûter des aliments. À chaque fois, essaie de dire si le goût est salé ou sucré, piquant ou doux, bon ou pas bon. As-tu deviné le nom de l'aliment ?

Expérience 4 : Teste ton toucher

Ton amie te met dans les mains des objets, un par un. À chaque fois, dis si l'objet est petit ou gros, froid ou chaud, doux ou piquant, lisse ou rugueux. As-tu reconnu l'objet que tu touches ?

As-tu un horrible bouton sur la joue?

Même si tu louchais de toutes tes forces, tu ne pourrais pas vérifier.
Pour observer ton visage, ta gorge ou ton dos, les miroirs
sont bien utiles. Sais-tu t'observer de toutes ces façons?

Comment *se voir de dos* ?

Si tu te retournes très vite, ça marche ?

Personne n'a jamais réussi.
Mais tu peux essayer en te positionnant
tranquillement entre 2 miroirs.

Comment *se voir en entier* ?

Si tu te recules beaucoup, peux-tu te voir
dans un tout petit miroir vertical ?

Non. Le miroir doit être au minimum de la moitié
de ta taille. Il doit être placé à bonne hauteur,
pour que tu voies tes pieds et tes yeux.

Comment voir *sa gorge* ?

En déplaçant un petit miroir, tu peux observer
tes dents, tes oreilles, les poils de ton nez,
et le fond de ta gorge...

Le dentiste utilise un petit miroir
pour inspecter les dents.

Comment *se voir* comme les autres nous voient ?

Dans un miroir, ton image est inversée
(ta main gauche a l'air d'être ta main droite).

Tu peux te voir comme les autres te voient
avec 2 miroirs en angle.

Miroirs déformants

Veux-tu te transformer en monstre ? Te voir tête à l'envers, minuscule ou tout déformé ? Pas besoin d'aller à la fête foraine pour jouer avec des miroirs déformants. Il y en a sûrement dans ta maison. Cherche-les !

C'est qui ce moi-l'autre ?

Comment se voir la tête en bas ?

Avec un miroir creux ou en utilisant 2 miroirs !

Les miroirs déformants de la maison

Miroirs creux
On voit une image grossie puis à l'envers si on s'approche.

Miroirs bombés
On voit une image courte et large.

Comment réveiller des graines qui dorment ?

Dans chaque graine, il y a une petite plante qui attend pour germer. Mais de quoi a-t-elle besoin pour se réveiller ? Plume et son copain Titou ont des avis bien différents. Qui a raison ? Fais les expériences pour vérifier.

Expérience 1 : Les graines peuvent-elles germer dans le noir ?

Tu verras, elles germeront très bien dans le noir.

Tu es toc-toc ! Il faut de la lumière.

Expérience 2 : Les graines peuvent-elles germer sans terre ?

Oui, ça marche parce que les graines ont des petites réserves de nourriture.

Des graines sur du coton ? Impossible, elles n'ont rien à manger.

Expérience 3 : Les graines d'orge poussent-elles mieux si on les arrose énormément ?

Plus je l'arrose, mieux elle grandira.

Ben, j'ai plutôt l'impression que tu vas la noyer.

Expérience 4 : Les graines peuvent-elles germer dans le froid ?

Brrr... Je parie que rien ne poussera. Tu as déjà vu des plantes au pôle Nord ?

Le froid, ça n'empêche pas les graines de germer.

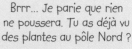

Après avoir rempli tes fiches d'expériences, vérifie p. 127.

Qu'y a-t-il dans une graine ?

Un minuscule futur bébé plante, et de la nourriture pour ce bébé. Si on coupe une graine en deux, voici ce qu'on peut observer.

futur bébé plante

réserve de nourriture

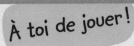

À toi de jouer !

① Découpe les fiches d'expérience.
Choisis-en une.

② Prépare les semis comme indiqué sur la fiche.

③ Avec un crayon, note les résultats.

Il te faut :

• des graines d'orge
(on en trouve dans les jardineries)

• 2 ou 3 petits pots identiques
pour chaque expérience
(pots de yaourt, gobelets
en plastique, couvercles
de bocaux…)

• du terreau et du coton

• les fiches
d'expériences
(p.119-120)

J'utilise un brumisateur
pour arroser sans bousculer
les petites graines.

J'enfonce le doigt dans
la terre : si elle est sèche,
je dois arroser.

Une astuce
pour bien arroser
tes semis

1- Perce un gobelet de 4 petits trous.
Remplis-le de terre.
2- Mets le gobelet 3 ou 4 heures
dans une soucoupe avec 3 cm d'eau.
L'eau va remonter jusqu'à la surface.
3- Quand la terre est humide en haut,
retire l'eau de la soucoupe.
Recommence au bout de 3 ou 4 jours
quand la terre est sèche.

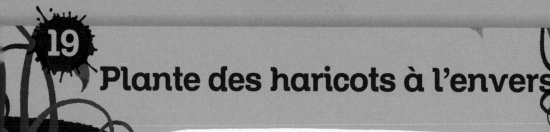

19

Plante des haricots à l'envers

> Si on plante une graine à l'envers, poussera-t-elle la tête en bas ?

Il te faut :

- un gobelet en plastique transparent
- 4 graines de haricot
- 2 serviettes en papier

> Si je couche les haricots, est-ce qu'ils pousseront à l'envers ?

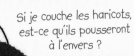

À toi de jouer !

① Plie et roule une serviette, puis glisse-la dans le gobelet.

② Chiffonne l'autre serviette en boule et place-la au milieu.

③ Glisse les graines entre le gobelet et la serviette. Installe-les dans tous les sens. Arrose régulièrement pour que les serviettes soient toujours humides.

④ Au bout de quelques jours, des racines apparaîtront, puis des feuilles. Poussent-elles dans tous les sens ?

Réponse

Si les tiges poussent vers le haut et les racines vers le bas, c'est parce que les plantes sont programmées. Tu ne pourras jamais les obliger à pousser à l'envers, à cause d'un phénomène que l'on appelle le gravitropisme : leurs racines pousseront toujours vers le centre de la Terre.

Quand tes haricots sont assez grands, fais l'expérience pour vérifier. Couche le gobelet et attends quelques jours.

20

Fais pousser des fleurs sans terre

Un bulbe, ça ressemble à un gros oignon tout sec et pas très appétissant.
Il ne faut surtout pas le manger car on pourrait être malade.
Mais si tu l'arroses, il donnera peut-être des fleurs magnifiques.

Il te faut :

• un bulbe d'Amaryllis
ou de jacinthe (on en trouve
dans les jardineries)

• un bocal en verre (le bulbe doit
tenir dessus, les racines dans l'eau)

• une grande bande en carton
pour mesurer ta plante

• un crayon

À toi de jouer !

1 Pose le bulbe sur le bocal plein d'eau.
L'eau doit arriver au ras des racines, sans toucher le bulbe.

2 Observe la plante grandir :
mesure-la et dessine-la chaque semaine.
Ajoute de l'eau si nécessaire.

6 jours

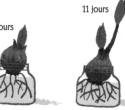
11 jours

20 jours

> Lave-toi toujours
> les mains après
> avoir touché le bulbe.

Pourquoi
la plante peut-elle
fleurir sans terre ?

Le bulbe contient assez de réserves
de nourriture pour se développer
et fleurir. Mais seulement une fois.
Pour que la plante refleurisse, il faut
la mettre dans la terre où elle se
fabriquera de nouvelles réserves.

51

Soulève des cailloux avec des graines

Des petites graines peuvent-elles soulever des cailloux 40 fois plus lourds qu'elles ? Fais l'expérience !

Il te faut :

- 8 à 10 graines de haricots que tu trouveras dans une jardinerie
- 1 barquette en plastique transparent
- du terreau
- 2 couvercles de bocaux
- 4 cailloux gros comme des noyaux de pêche

À toi de jouer !

1 Étale 3 cm de terreau dans la barquette. Dispose les graines régulièrement, et recouvre-les d'une fine couche de terreau. Arrose pour que la terre soit bien humide.

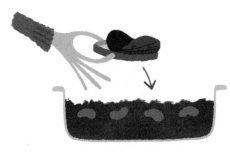

2 Sur le terreau, pose les couvercles dans lesquels tu as mis les cailloux.

On dirait que les couvercles bougent tout seuls !

3 Installe la barquette près de la lumière et ne la déplace plus.
Arrose régulièrement pour que la terre reste toujours humide.
Au bout de quelques jours, tu verras peut-être les couvercles se soulever tout seuls.
Vois-tu ce qui les pousse ?

D'où vient la force des plantes ?

Les plantes sont fragiles, mais elles sont aussi très puissantes.
Tu as peut-être déjà vu un trottoir soulevé par les racines
d'un arbre ? Pourtant, les plantes n'ont pas de muscles.
Leur force vient juste de l'eau qui circule dans leurs racines
et dans leurs tiges.

Fabrique des jardins miniatures

Fais pousser deux jolis jardins et compare-les.
Tu découvriras les premiers jours des bébés plantes.

Il te faut :

- 2 grands plateaux identiques
(Les coupelles pour bacs
à plantes conviennent bien)

- du coton
et du terreau

- des graines qu'on trouve en jardinerie.
(Attention : certaines graines de cuisine sont traitées
pour ne pas germer.)

pépins de pomme

graines pour rongeurs

radis

pois chiches

tournesol

haricots

cresson

gazon

lentilles

orge

noyaux
de cerises

maïs

- du papier et un crayon
pour dessiner le plan
des jardins

- des personnages
et des animaux miniatures
que tu aimes bien

À toi de jouer !

1 Remplis un plateau avec du terreau,
l'autre avec du coton.

> J'écris le nom
> des plantes sur mon plan
> pour m'en souvenir.

2 Sème les mêmes graines dans les 2 bacs :
pose-les sur le coton et enfonce-les légèrement dans
le terreau. Brumise régulièrement pour que les 2 jardins
restent humides.

3 Au bout de quelques jours, tu verras de petites pousses.
Lesquelles grandissent le plus vite ? Se ressemblent-elles toutes ?

Fabrique une jungle miniature

Tu as observé comment
se transforment les graines ?
Invente une jungle miniature,
en choisissant les plantes
qui ressembleront à des herbes
géantes, à des lianes…

Crée une forêt de légumes

Fais pousser un joyeux jardin de verdure
en utilisant des morceaux de légumes.

Il te faut :

• un vieux plat dans lequel
tu étaleras 3 cm de terreau

• des légumes crus (par exemple :
oignon, carotte, navet, ail, radis,
pomme de terre, céleri…)

oignon   carotte   radis

ail   navet

pomme de terre
avec germes   céleri

• Si tu veux décorer ta forêt, ajoute
quelques graines de cresson ou de gazon.

cresson   gazon

À toi de jouer !

① Prépare les légumes. Avec un adulte,
coupe l'oignon en deux. Coupe la moitié
d'une pomme de terre avec un germe.

② Coupe la partie supérieure des autres légumes,
et garde-la pour ton jardin. On peut faire
une soupe avec le reste.

> J'ajoute
> un peu de graines
> de cresson, ce sera
> tout joli.

③ Pose les légumes sur la terre.
Brumise-les régulièrement pour que la terre
soit toujours humide.

Ma pomme de terre a des tiges géantes !

④ En quelques jours, ton jardin va se transformer. Quels légumes verdissent ? Certains sèchent-ils ? En vois-tu qui pourrissent ?

Ces plantes pourraient-elles vraiment renaître ?

Non, ta « forêt » ne durera pas très longtemps. Les plantes vont « maigrir » car elles utilisent leurs réserves. Mais certaines plantes que tu manges peuvent pousser sans graines : les fraises ou les pommes de terre par exemple.

Comment poussent les pommes de terre ?

Quand on enfonce une pomme de terre dans le sol, des tiges souterraines poussent. Elles donneront 15 à 20 nouvelles pommes de terre.

Adopte une plante

Aimerais-tu devenir responsable d'une plante ?
Si tes parents sont d'accord, adopte une plante pour t'occuper
d'elle et bien la connaître. Prépare un carnet d'adoption
dans lequel tu noteras tes missions, et tout ce qui lui arrive.

C'est le carnet
que j'ai fait
pour ma Bibi adorée.

Carnet
d'adoption

Plume
adopte Bibi
le 28 février.

Ma plante
Nom : hibiscus
Surnom : Bibi

Mes missions

• arroser Bibi quand ses feuilles sont flagadas
• surveiller si les pucerons l'attaquent
• enlever les fleurs fanées

← puceron

Les heureux événements

• juin : Bibi a 2 fleurs rouges
• Bibi a grandi, elle m'arrive aux genoux

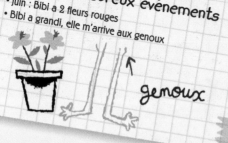

genoux

Les problèmes

• Bibi s'est fait attaquer par des pucerons, elle était toute noire. Papa et moi, on l'a soignée. C'est fini.
• J'ai fait tomber Bibi sans faire exprès. Une branche s'est cassée. Il y a une cicatrice.

bibi

59

Pars à la découverte du ciel étoilé

Pendant les vacances, demande à tes parents de te réveiller par une belle nuit sans nuages. Glissez-vous dans le noir et partez ensemble explorer l'immense ciel étoilé.

Il te faut :

- de quoi s'asseoir ou se coucher par terre au sec et au chaud

- un délicieux pique-nique de nuit

- une lampe de poche avec un filtre rouge (protège-cahier…)

- les fiches d'expériences (p. 121-122) et un crayon

Si vous avez besoin de lumière, allumez seulement la lampe rouge pour ne pas être éblouis.

À toi de jouer !

Installez-vous confortablement.
Au bout de 10 minutes, vos yeux s'habituent à l'obscurité.
Vous pouvez alors commencer à jouer avec les fiches d'expériences.

Tu crois que c'est un avion ou une étoile ?

Voyons voir…

C'est une étoile !

1. Reconnais les différentes lumières

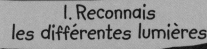

Ça clignote et ça avance !

Alors, c'est un avion !

Ce n'est pas si facile de reconnaître les différentes lumières la nuit. Observe-les bien et note celles que tu vois sur ta fiche.

2. Trouve la Grande Ourse

Trouvée !

Où te caches-tu dans ces millions d'étoiles ?

Cherche la Grande Ourse. Quand tu l'as trouvée, essaie de repérer l'Étoile polaire.

3. Repère une étoile filante

Vue !

Quoi, quoi ? Où ça ?

Si tu assistes à un événement rare, note-le sur ta fiche.

Quelle est la différence entre une étoile, une planète, une météorite, une comète, et une étoile filante ?

Doucement, mon petit papa curieux !

Réponses

Une **étoile** est une énorme boule de gaz qui brûle : elle fabrique ainsi sa lumière.
Le Soleil est une étoile.

Une **planète** ne fabrique pas de lumière. Elle brille seulement parce qu'elle est éclairée par une étoile.
La Terre est une planète.

Une **étoile filante**, c'est une minuscule poussière qui brûle en tombant sur la Terre.

Une **météorite**, c'est un caillou de l'espace qui tombe sur la Terre.

Une **comète**, c'est une boule de neige, de glace et de poussières, avec une queue. Elle tourne autour du Soleil.

Observe les croissants de lune

Ce soir, la lune ressemble à un croissant ? Regarde bien dans quel sens est ce croissant et tu pourras dire si la lune sera bientôt pleine, ou si elle va plutôt disparaître.

Si tu vois la lune comme sur l'un de ces 3 dessins :

Le croissant va « grossir » et tu verras la pleine lune dans quelques jours.

Si tu vois la lune comme sur l'un de ces 3 dessins :

Le croissant va « diminuer » et la lune sera invisible dans quelques jours.

Est-ce possible de voir la lune comme ça ?

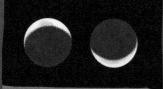

Oui, on voit les croissants horizontaux dans les pays tropicaux.

Oui, un jour par mois, on voit la lune toute ronde. On dit que c'est la pleine lune.

Non, la lune n'a pas de bouche, ni de nez, sauf dans les histoires.

Oui, on peut voir la lune le jour, mais il faut bien la chercher, car elle est pâle.

Est-ce que la lune grossit ou diminue vraiment ?

Réponse

Non. La lune reste toujours ronde comme un énorme ballon.

Observe-la attentivement quand elle ressemble à un croissant : tu apercevras la partie de cette grosse boule qui n'est pas éclairée par le Soleil.

La lune change chaque jour un peu d'aspect, mais pas n'importe comment ! Entre deux pleines lunes, il se passe toujours exactement 29 jours, 12 heures et 44 minutes.

27

Tourne comme la Lune autour de la Terre

Sais-tu qu'il y a une moitié de la Lune qu'on ne voit jamais depuis la Terre ?
On dit que c'est sa face cachée. Tourne comme la Lune autour de la Terre,
et tu découvriras pourquoi.

Il te faut :

• un grand endroit dégagé

• du papier et un feutre

• un ami qui fera la Terre

À toi de jouer !

1 Sur une feuille, écris « face cachée de la Lune ». Sur une autre, écris « Terre ».

2 Donne le panneau « Terre » à ton ami et mets celui de la Lune dans ton dos.

3 Ton ami-Terre se met au milieu du jardin et te regarde. Réussiras-tu à faire un grand cercle autour de lui sans qu'il voie jamais ton panneau ?

La face cachée de la Lune

Pendant très longtemps, aucun humain ne savait à quoi ressemblait l'autre côté de la Lune.

Ce fut un grand moment d'émotion quand on vit enfin cette première photo, prise par la sonde Luna 3 en 1959.

Réponse

Pour que ton ami ne voie jamais ton panneau, tourne autour de lui tout en le regardant. En faisant ça, tu as AUSSI fait un tour complet sur toi-même. Si ça te paraît bizarre, réessaie.

28

Lance-toi dans l'immense randonnée des planètes

Tu as plein d'énergie et de bonnes chaussures ?
Alors pars avec tes parents faire la grande balade du système solaire.

Il te faut :

- un endroit assez grand où l'on peut marcher en ligne droite (un chemin, une plage...)

- 1 ballon de football (pour le Soleil)

- 2 grains de poivre (pour Vénus et la Terre)

- 2 grains de sucre (pour Mars et Mercure)

- 1 grain de sel fin (pour la Lune)

- 2 noix (pour Jupiter et Saturne)

- 2 grains de maïs (pour Neptune et Uranus)

- 10 grandes étiquettes et un feutre

- du ruban adhésif

À toi de jouer !

1 Écris le nom des 10 astres sur les étiquettes et colle les objets qui correspondent dessus à l'aide du ruban adhésif (sauf le ballon !)

Je vous garde le Soleil !

2 Vous êtes prêts ?
Prenez les étiquettes avec les « astres », un pique-nique, et partez pour la grande randonnée des planètes.

Soleil

3 D'abord, pose le « Soleil » (le ballon et son étiquette) près d'une personne très patiente qui le gardera. Puis...

Adieu, Terre chérie, nous partons vers Mars !

Fais encore 30 pas et pose « Mars ».

Fais encore 18 pas et pose la « Terre » avec la « Lune » juste à côté.

Lune

Terre

Fais encore 20 pas et pose « Vénus ».

Vénus

Fais encore 220 pas et pose « Jupiter ».
Fais encore 260 pas et pose « Saturne ».
Fais encore 578 pas et pose « Uranus ».
Fais encore 652 pas et pose « Neptune ».

Fais 22 pas et pose « Mercure » par terre.

Mercure

S'il y a du vent, pose des petits cailloux sur tes étiquettes !

Si vous êtes arrivés jusqu'à « Neptune », vous avez marché 2 kilomètres environ (soit à peu près une demi-heure).
Si vous vouliez continuer jusqu'à l'étoile la plus proche, Proxima du Centaure, il faudrait marcher 110 jours et 110 nuits sans s'arrêter. Bon courage !

Fabrique une planète imaginaire

Invente une planète miniature avec des îles, des océans, des animaux et des habitants imaginaires.

Ne gonfle pas trop le ballon et n'appuie pas trop en dessinant. Sinon, boum ! explosion de planète...

Il te faut :

- un ballon gonflable sombre (rouge, bleu ou vert)

- un feutre pour dessiner sur le ballon (feutre pour CD par exemple)

- des feutres pour dessiner sur du papier

- des Post-it®

- une paire de ciseaux

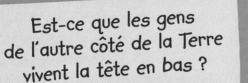

À toi de jouer !

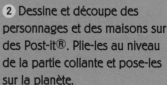

1 Gonfle le ballon à moitié : ce sera ta planète. Dessine des îles, des pays et des océans imaginaires. Invente-leur des noms.

2 Dessine et découpe des personnages et des maisons sur des Post-it®. Plie-les au niveau de la partie collante et pose-les sur la planète.

3 Installe des habitants un peu partout sur ta planète, puis tourne-la dans tous les sens. Est-ce que, dans certains pays, les habitants ont la tête en bas ?

Est-ce que les gens de l'autre côté de la Terre vivent la tête en bas ?

Eh non ! Comme toi, ils ont les pieds vers le sol et la tête vers le ciel. Pour tous les Terriens, le bas, c'est vers le centre de la Terre, et le haut, vers le ciel.

Le bas, vers là !

Le bas, vers là !

30

Fais le jour et la nuit sur la planète

Les habitants de ta planète imaginaire voudraient bien une journée pour jouer, puis une nuit pour se reposer, et encore un jour, une autre nuit, etc. Peux-tu trouver une solution pour qu'ils soient tous contents ?

Il te faut :

- ta planète imaginaire
- un(e) ami(e)
- une lampe de poche
- un endroit sombre

> J'en ai assez de la nuit, je veux le jour pour jouer !

> Maintenant, je veux la nuit pour dormir !

À toi de jouer !

1 Installez-vous dans une pièce bien sombre. Tiens ta planète dans les mains pendant que ton amie allume la lampe de poche : ce sera le Soleil ! Éclairez votre planète et ne bougez plus.

> Moi, je n'aime que la nuit !

2 Trouverez-vous une tactique pour que les habitants de la planète voient, à tour de rôle, le jour, puis la nuit, puis encore le jour, comme sur Terre… **sans faire bouger le « Soleil »** ?

Tactique

Fais tourner la planète sur elle-même, régulièrement, toujours dans le même sens, devant le « Soleil ».

La terre tourne sur elle-même devant le soleil. Il fait donc jour pour le côté de la planète qui est face au Soleil, et nuit pour l'autre côté.

La drôle de vie des astronautes

Quand les astronautes partent dans une station spatiale, c'est pour travailler. Mais ce n'est pas facile alors que tout flotte dans tous les sens et qu'on porte un énorme scaphandre ! Il leur arrive parfois de drôles de mésaventures.

Si on appuie trop fort sur un bouton, on est propulsé à l'autre bout de la station et on peut se cogner au mur d'en face.

Si on oublie de s'attacher les mains pour dormir, elles flottent et donnent des gifles.

Dans la station Saliout, il y avait un aspirateur qui s'échappait quand on oubliait de le ranger. Un jour, un cosmonaute a eu l'idée de se promener dessus comme sur un cheval !

Dehors, l'astronaute doit mettre un scaphandre et des gants épais. S'il éternue, il ne peut pas nettoyer son hublot plein de buée. S'il perd une petite vis, catastrophe ! Elle pourrait percer la paroi en métal de la station.

C'est vraiment arrivé !

Une petite écaille de peinture a fait une fente dans un hublot de la navette spatiale Challenger.

32

Bricole comme un astronaute

Avant de partir dans l'espace, les astronautes s'entraînent beaucoup pour réussir leurs expériences et leurs travaux. Quand ils flotteront dans tous les sens avec leur gros scaphandre, ils ne devront faire aucune erreur. Avec un ami, entraîne-toi comme eux pour devenir très adroit.

Il te faut :

- un(e) ami(e)

- des grosses moufles,
une grande veste lourde,
des lunettes sombres :
ce sera ton scaphandre

- un grand carton :
ce sera votre station
spatiale

- une paire de ciseaux

- 2 spaghettis

- 10 macaronis

- 2 gobelets incassables

À toi de jouer !

Demande à un adulte de t'aider pour découper le carton !

1 D'abord entraînez-vous à réussir un geste précis : enfilez 5 macaronis sur un spaghetti jusqu'à ce que ce soit très facile.

2 Faites un trou d'environ 2 centimètres de diamètre dans le carton.

3 Mets les macaronis dans un gobelet et enfile ta tenue. Demande à ton amie d'entrer dans la « station spatiale » avec un gobelet vide. Maintenant, essaie de lui faire passer les macaronis par le trou à l'aide d'un spaghetti. Attention, dans l'espace, il ne faut rien laisser tomber. Les déchets sont dangereux !

Pourquoi les petits déchets sont-ils dangereux ?

Dans l'espace, on a l'impression que tout flotte tranquillement, mais en réalité tout va très-très-très vite. Si une vis cogne la station, elle frappe aussi fort qu'une boule de pétanque à 100 km/h. Elle peut percer le métal.

Équilibres possibles ou impossibles ?

Parmi les empilements de briques de la page de droite, certains tomberont forcément. Sauras-tu deviner lesquels ?
Fais les expériences pour vérifier et note tes résultats sur ton carnet.

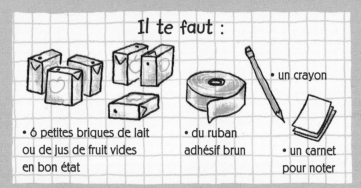

Il te faut :

• 6 petites briques de lait ou de jus de fruit vides en bon état

• du ruban adhésif brun

• un crayon

• un carnet pour noter

À toi de jouer !

Ne prends pas tout de suite les briques !

1 D'abord, essaie de deviner les équilibres possibles et impossibles, juste en regardant les dessins. Si vous êtes plusieurs, comparez vos idées sans oublier de les noter.

2 Ensuite, prenez les briques et faites les constructions exactement comme sur le dessin. Notez les résultats. Aviez-vous bien deviné ?

Indique ton avis sur ton carnet !

Expérience 1 : les tours

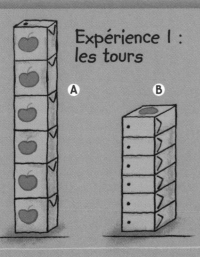

Expérience 2 : les ponts

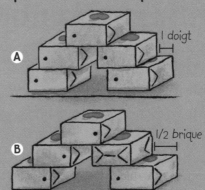

I doigt

1/2 brique

Expérience 3 : les plongeoirs

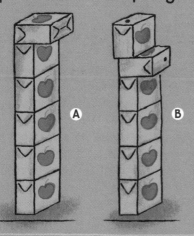

Expérience 4 : les briques sur un poteau

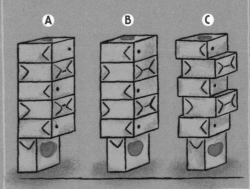

Moi, j'aime bien chercher des idées pour que ça marche, même quand c'est impossible !

Expérience 5 : les briques penchées

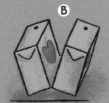

Expérience 6 : les briques scotchées

Refais toutes ces constructions, en scotchant les briques entre elles, sans les scotcher à la table.

Réponses

Expérience 1 : La construction A tombe facilement parce que la surface d'appui est petite par rapport à sa hauteur.

Expérience 2 : Si le décalage est grand, la construction bascule en avant. La construction B est impossible.

Expérience 3 : Si on ajoute du poids au-dessus de la brique qui dépasse, elle tient mieux. La construction A est impossible.

Expérience 4 : Les constructions B et C peuvent tenir parce que le poids est réparti de chaque côté de la brique verticale. La construction A est impossible.

Expérience 5 : Chaque brique est en déséquilibre. Mais dans la construction A, les deux briques tombent l'une sur l'autre, et peuvent tenir.

Expérience 6 : Quand on fixe des briques ensemble avec du Scotch ou de la colle, certains empilements impossibles deviennent possibles.

34

Lave-toi les mains avant de commencer, et mets un tablier.

Construis une maison qui se mange

Fabrique une maison en sucre. Quand tu auras fini, tu pourras la démolir et faire un bon gâteau.

Il te faut :

• une boîte de sucres en morceaux pour faire les briques

• ce qui pourrait être du ciment : de l'eau, du miel épais, de la moutarde, de la confiture, du sirop de sucre...

• un bol, une cuillère et une planche

À toi de jouer !

Cherche le meilleur ciment pour coller les briques.

1 Essaie de coller deux sucres avec les différents « ciments » et choisis le meilleur. Il doit coller tout de suite, ne pas faire fondre le sucre, être joli et avoir bon goût dans un gâteau. **Ce sera ton ciment pour construire les murs de ta maison.**

2 Mets un peu du ciment que tu as choisi dans un bol.

3 Range les produits que tu n'utiliseras pas et nettoie tout.

Moi, j'ai choisi le ciment-miel.

Construis une maison avec les briques !

Invente une jolie maison qui aura un escalier et une fenêtre.
Il faut qu'elle soit le plus solide possible :
essaie de coller les briques avec ton ciment.
Vérifie que tes briques sont posées bien à plat.

Waou !
que
du sucre !

Demande
à un adulte de
te couper des sucres
en deux.

**As-tu essayé de décaler
les briques comme le maçon ?**

Si une vraie maison en briques s'effondrait
sur ses habitants, ce serait une catastrophe !
Heureusement, le maçon connaît les techniques
pour construire des murs très solides.
As-tu observé comment
il empile les briques ?

Le gâteau
de la maison en sucre

**Tu as fini ? Voilà une recette pour fabriquer
un gâteau avec tes murs en sucre.**

Il te faut :
• 2 pots de yaourt de murs
et de ciment

• 1 yaourt

• 3 pots de
yaourt de farine

• 1 cuillère à café
de cannelle

• 2 œufs

• 1 cuillère
à café d'huile

• 1 paquet
de levure

1 Fais fondre les murs en sucre
avec 2 cuillères à soupe d'eau.

2 Mélange tous les ingrédients
dans un bol.

3 Verse le tout dans un moule beurré.

4 Avec l'aide d'un adulte, fais cuire
20 minutes dans un four à 180 °C.

73

35

Fabrique une pyramide

Peux-tu fabriquer une pyramide avec 6 pailles ?

Il te faut :

• 6 pailles
(Si elles sont coudées, coupe-les
pour qu'elles soient droites.)

• 8 chenilles de 7 à 8 cm de long
(ou des trombones dépliés)

À toi de jouer !

1 Assemble 2 pailles
en enfilant une « chenille »
à moitié dans chaque paille.

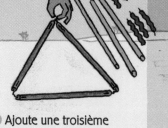

2 Ajoute une troisième
paille pour faire un triangle.

3 Enfile une autre « chenille »
à moitié dans chaque paille.

4 Assemble les 3 dernières
pailles en haut avec 2
« chenilles ». Ta pyramide
est terminée !

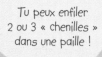

Tu peux enfiler
2 ou 3 « chenilles »
dans une paille !

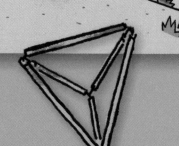

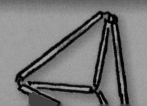

Tu peux inventer toutes sortes
de constructions :

une maison

un cube

un « tarabiscoton »

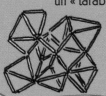

Un problème très difficile

Sauras-tu fabriquer
une grande pyramide
qui a la même forme
que les petites juste en assemblant
4 petites pyramides ?

 + + +

Un indice ?
La grande pyramide
est 2 fois plus haute
que les petites
et sa base est
un triangle.

=

Si tu trouves sans regarder la réponse p. 127, tu es un champion !

Construis un petit théâtre

Crée ton petit théâtre avec des personnages et des animaux
qui se cachent dans la forêt.

Il te faut :

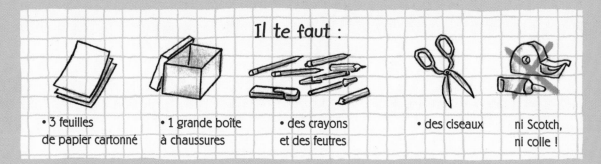

- 3 feuilles de papier cartonné
- 1 grande boîte à chaussures
- des crayons et des feutres
- des ciseaux
- ni Scotch, ni colle !

À toi de jouer !

1 Avec un adulte, découpe une large ouverture sur le petit côté de la boîte.

2 Découpe une feuille et plie-la pour qu'elle tienne toute seule au fond de la boîte : ce sera le décor !

3 Ça tient ? Dessine un beau paysage de forêt. Tu peux découper les bords selon la forme des arbres.

4 Sur une nouvelle feuille, dessine un autre décor avec une grande ouverture au milieu.

5 Place les décors et repose le couvercle : ton théâtre est prêt ! Maintenant, à toi de créer les personnages…

Fabrique des personnages qui tiennent debout tout seuls.

Sur la troisième feuille, dessine et découpe des personnages, des animaux ou des arbres. Puis cherche des moyens de les faire tenir debout, simplement en pliant le papier ou en le découpant.

Ne les colle pas, sinon tu ne pourras pas les déplacer dans ton théâtre.

Alors, il était une fois...

Conseils de fabrication de personnages en papier

Commence par faire un brouillon pour ne pas gâcher un beau dessin.

Voici deux façons de fabriquer des animaux à quatre pattes :

Tu peux faire des fentes.

Tu peux plier ou rouler.

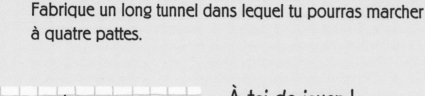

37

Installe un tunnel chez toi

Fabrique un long tunnel dans lequel tu pourras marcher à quatre pattes.

Il te faut :

- 3 ou 4 vieux journaux (pas des magazines)

- de la ficelle fine ou de la laine
- des ciseaux

- 4 chaises
- des gros livres

À toi de jouer ! Fabrique les murs.

1 Tends une longue ficelle entre deux chaises. Si les chaises glissent, pose du poids dessus : des gros livres ou un grand-père très patient.

> Mais qu'est-ce que tu fais encore ?

2 Pose des feuilles de journal à cheval sur la ficelle.

3 Fais un autre mur et rapproche-le du premier de façon à te laisser juste la place pour passer au milieu à quatre pattes.

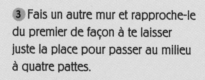

> ... Ron, pschh...

> Pépé ! T'as vu comme ils sont beaux mes murs ?

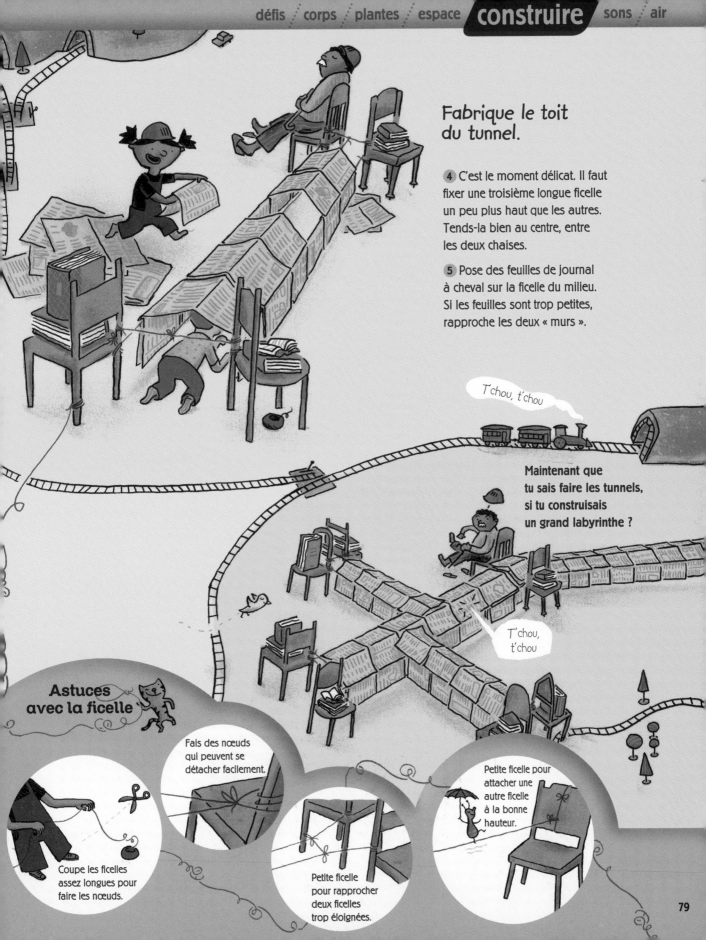

Fabrique le toit du tunnel.

4 C'est le moment délicat. Il faut fixer une troisième longue ficelle un peu plus haut que les autres. Tends-la bien au centre, entre les deux chaises.

5 Pose des feuilles de journal à cheval sur la ficelle du milieu. Si les feuilles sont trop petites, rapproche les deux « murs ».

T'chou, t'chou

Maintenant que tu sais faire les tunnels, si tu construisais un grand labyrinthe ?

T'chou, t'chou

Astuces avec la ficelle

Coupe les ficelles assez longues pour faire les nœuds.

Fais des nœuds qui peuvent se détacher facilement.

Petite ficelle pour rapprocher deux ficelles trop éloignées.

Petite ficelle pour attacher une autre ficelle à la bonne hauteur.

38

Fabrique une cabane en carton

Fabrique un toit, une porte, des fenêtres, des étagères.
Et n'oublie pas la décoration !

Il te faut :

• une boîte en carton assez grande pour que tu puisses entrer dedans

• des grandes plaques de carton ondulé

• du matériel de récupération pour aménager et décorer

• des outils pour découper et attacher

À toi de jouer !

1 Le toit

Comment faire un toit comme celui-là ?

Si on pouvait voir en transparence, voilà ce qu'on observerait.

2 Les ouvertures

Comment faire une porte et une fenêtre qui peuvent se fermer ?
Chez toi, regarde les portes et leurs charnières.

Cherche le meilleur système pour ta cabane : avec du Scotch ? De la ficelle ? Des pinces à linge ?

Essaie avec des petits morceaux de carton. Quand tu as trouvé, découpe avec un adulte la porte et la fenêtre de ta cabane.

Coucou !

Avec un bâton et des ficelles, tu peux accrocher des objets un peu lourds.

Tissu au bout du bâton pour ne pas se cogner.

Scotch pour renforcer le trou.

Avec une ficelle et des pinces à linge, tu peux accrocher des images.

Poids pour tendre la ficelle.

3 La décoration

Des idées pour aménager la cabane…

Bouchon pour fermer la fenêtre.

Avec une bouteille transparente coloriée, tu peux faire une fenêtre multicolore.

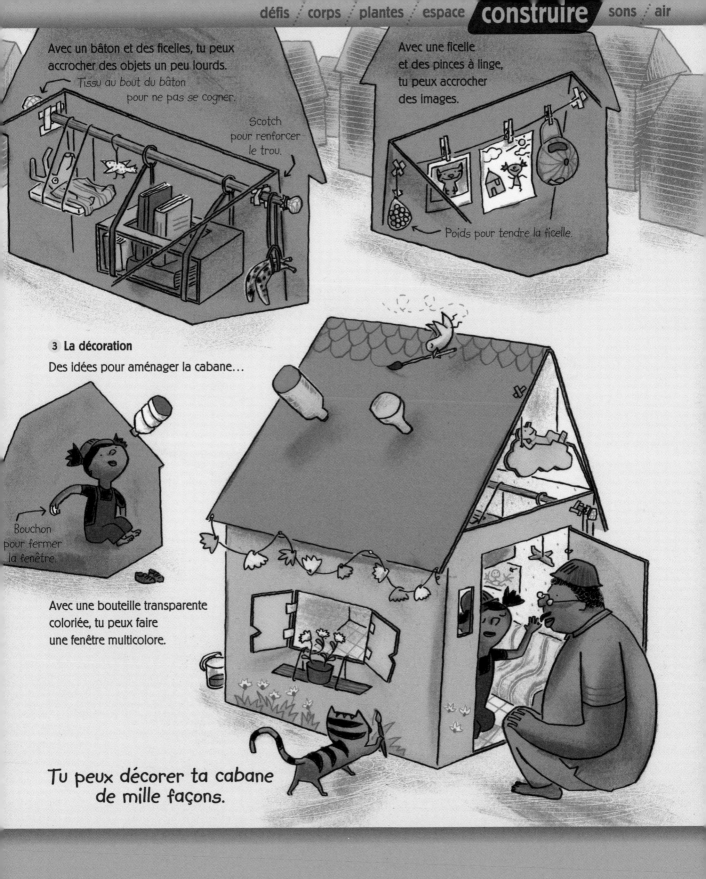

Tu peux décorer ta cabane de mille façons.

Fais le plan de ta chambre

Tu as peut-être déjà utilisé un plan pour te diriger en ville avec tes parents.
Maintenant, à toi de faire le plan de ta chambre !

Il te faut :

• des feuilles de papier

• un crayon à papier

• une gomme

• un adulte

• une règle

• une peluche ou un jouet

• une petite figurine

À toi de jouer !

1 Installe-toi dans l'entrée de ta chambre, devant la porte. Dessine un carré ou un rectangle suivant la forme de la pièce. Tu peux t'aider d'une règle.

2 Oriente la feuille de façon à avoir l'ouverture de la porte derrière toi. Gomme le trait de ton dessin aux emplacements des ouvertures : porte et fenêtres.

3 Dessine un petit rectangle pour ton lit, un autre pour ton bureau, etc. Attention, dessine bien les meubles en fonction de leur place dans la chambre.

4 Demande à un adulte de placer la peluche n'importe où dans ta chambre, puis de poser la figurine à l'endroit correspondant sur le dessin. Ne regarde pas ! Grâce à ton plan, peux-tu deviner où est la peluche sans regarder dans ta chambre ?

5 Maintenant, tu peux vérifier en regardant autour de toi. As-tu bien deviné ?

Si tu te trompes, tu peux gommer, et recommencer !

Qu'est-ce qu'un plan?

Avant de faire construire une maison, les architectes dessinent un plan. C'est une représentation réduite et simplifiée de la maison qu'on peut faire sur une feuille de papier ou sur un ordinateur.

Il existe aussi des plans pour se diriger en ville : on y voit toutes les rues et leur disposition, mais en plus petit.

Les cartes de géographie sont aussi des sortes de plans. Elles montrent une partie ou l'ensemble de la Terre.

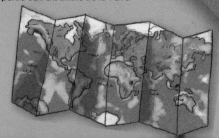

83

Tombera, tombera pas ?

Essaie de faire tomber une grande personne, en la touchant juste du bout d'un doigt. Demande-lui de se placer comme sur les dessins, et de résister de toutes ses forces. Puis appuie doucement au milieu de son dos avec ton petit doigt. Dans quelle position va-t-elle tomber ?

Position 1
Sur la pointe
d'un pied,
bras serrés.

Conseil
Attention, fais l'expérience
dans un endroit
où on ne se cogne
pas en tombant !

Position 3
Pieds écartés,
l'un devant l'autre,
bras serrés.

Position 2
Sur la pointe
des deux pieds,
bras serrés.

Position 4
À quatre pattes,
bras et jambes
un peu écartés.

Dans le train,
j'aime bien ne pas me tenir
quand ça secoue.
Facile avec les jambes
pliées-écartées !

On tient mieux en équilibre
sur plusieurs appuis que sur un seul.
Et quand les appuis sont écartés,
on tient mieux que quand ils sont serrés.

Drôles d'équilibres

As-tu observé des ponts, des toits ou des églises ?
Certaines parties des constructions sont penchées au-dessus du vide.
Pourtant, elles ne tombent pas. Pourquoi ? Parce qu'elles s'appuient
les unes contre les autres. Avec des copains, tenez-vous en équilibre
pour essayer de ressembler à ces constructions !

Un conseil : écartez-vous petit à petit !

Joue avec l'équilibre !

En construisant une balance, tu vas pouvoir t'amuser à découvrir les lois de l'équilibre, et même à les défier !

Il te faut :

• une table

• une règle plate

• du ruban adhésif

• des trombones

• une gomme rectangulaire

• une figurine ou des petits objets pas trop lourds

À toi de jouer !

1 Trouve le point d'équilibre
Pousse tout doucement la règle en la faisant glisser vers le bord de la table. Quand elle se met à basculer dans le vide, repère l'endroit et colle un bout de ruban adhésif.

2 Construis ta petite balance
Pose ta règle sur la gomme. Où dois-tu placer la gomme pour que la règle reste en équilibre ?

Comment fonctionne une balance?

En jouant avec ta petite balance, as-tu remarqué qu'elle penchait du côté de l'objet le plus lourd ? Comme quand tu fais de la balançoire « tape-fesses » avec un adulte : le plus lourd reste en bas ! Pour trouver l'équilibre, il faut deux objets ou deux personnes de même poids.

3 Place ta figurine sur un bout de la règle. Que se passe-t-il ?
À ton avis, comment faire pour que la règle retrouve son équilibre ?
Aide-toi de tes trombones.

Fabrique un funambule

Si tu es déjà allé au cirque, tu as sûrement vu des funambules qui marchent sur un fil… Comment font-ils ?

Il te faut :

- un bouchon en liège
- un cure-dents
- 2 brochettes
- de la pâte à modeler
- 1 m 50 de ficelle fine de cuisine
- 2 chaises
- des feutres de couleurs

À toi de jouer !

1 Avec des feutres, dessine des yeux et une bouche sur le bouchon, puis un joli costume…

2 Coupe le cure-dents en deux et plantes-en une moitié sous le bouchon.

3 Ajoute une petite boule de pâte à modeler au bout de chaque brochette.

4 Plante une brochette de chaque côté du bouchon vers le bas.

5 Pose le funambule sur ton doigt. Est-ce qu'il tient en équilibre ?

Pourquoi les funambules tiennent-ils souvent une grande perche pendant leur numéro ?

Cette perche les aide à garder l'équilibre. On ne peut pas le voir à l'œil nu, mais leur perche a un poids de chaque côté (comme tes deux boules de pâte à modeler au bout des brochettes).

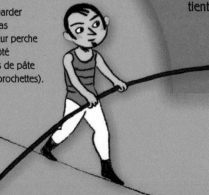

6 Maintenant, tends la ficelle entre deux chaises et pose ton funambule sur le fil. Comme Tim et Lola, inventes-en d'autres à ta façon, avec des pinces à linge ou des ballons, par exemple…

Découvre le monde du son

Tu penses bien connaître tous les sons qui t'entourent.
Mais les as-tu déjà écoutés avec attention ?
Réalise ces expériences avec tes amis ou tes parents
et note tes résultats sur les fiches (p.123-124).

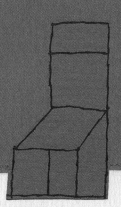

À toi de jouer !

1 Qui fait du bruit... ?
Tout autour de toi et même à l'intérieur de toi,
il existe des sons que tu n'as peut-être jamais
écoutés. Mais peut-on vraiment les entendre ?
Prends la fiche 1, page 123, et fais les expériences
pour le savoir.

ron ron ron ron ron

2 **Tous les sons ont-ils la même durée ?**

Quand tu dis « AAAA… » jusqu'à ce que tu n'aies plus de souffle, tu fais un son continu : il dure longtemps sans s'arrêter.

Quand tu tapes dans tes mains pour applaudir, tu fais un son discontinu : il est court et répété.

Sauras-tu reconnaître d'autres sons continus et discontinus ?

(fiche d'expérience 2)

3 **Écoute et imagine**

Certaines personnes disent que l'on entend la mer dans les coquillages. Mais est-ce vraiment le bruit de la mer ? D'ailleurs, imaginons-nous tous la même chose lorsque nous entendons un son ? Pour le savoir, invite tes parents ou tes amis à faire l'expérience de la fiche 3.

4 **Aimons-nous tous les mêmes sons ?**

Certains bruits sont agréables à entendre, d'autres nous « cassent » les oreilles. Propose à tes parents ou à tes amis de donner leur avis sur différents sons.

(fiche d'expérience 4)

Trouve le roi du silence et celui du vacarme

Teste des matériaux différents et recherche
ceux qui font le moins de bruit et ceux qui en font le plus.

Avant de laisser tomber un objet, place ta main au-dessus du support, mais pas trop haut. Et surtout, ne lance pas les objets !

Il te faut :

• des objets :

• une boulette
de pâte à modeler,
grosse comme une bille

• une clé en métal   • un bouchon en liège

Tu peux aussi utiliser un grain de riz, une bille…

• des supports :

• une plaque en métal
(par exemple,
la plaque du four)   • un gant
de toilette

À toi de jouer !

① Laisse tomber chaque objet
un par un sur la plaque de métal.

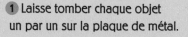

② Écoute le son que chacun fait.
Classe les trois objets du plus
bruyant au plus silencieux.

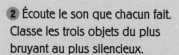

③ Recommence l'expérience en laissant tomber
chaque objet un par un sur le gant de toilette.

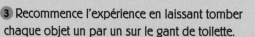

**Pour être le roi du silence, quel objet faut-il laisser tomber
et sur quel support ? Et pour être le roi du vacarme ?**

Dans l'eau, pourrait-on
aussi jouer au roi du vacarme
ou bien est-ce
le royaume du silence ?

Demande à tes parents de te faire couler
un bain sans trop remplir la baignoire.
Mets tes oreilles sous l'eau en gardant
le nez et la bouche hors de l'eau.

Qu'entends-tu ?

Demande à un adulte de faire des sons
dans l'eau du bain :
• laisser tomber une bille.
• froisser du papier aluminium sous l'eau.
• faire éclater du papier bulle…

Expérimente aussi les sons que fait ton corps
dans l'eau : mets tes oreilles sous l'eau en gardant
le nez et la bouche hors de l'eau, puis claque
des dents, tape dans tes mains, gratte-toi
la nuque…

93

46

Qui se cache dans la boîte ?

Sauras-tu reconnaître le son de différents petits objets cachés dans des boîtes ?

Les boîtes ne doivent pas être transparentes, pour qu'on ne puisse pas voir ce qu'elles contiennent. Sinon, entoure-les d'un papier.

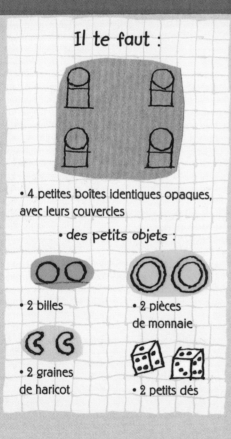

Il te faut :

• 4 petites boîtes identiques opaques, avec leurs couvercles

• des petits objets :

• 2 billes

• 2 pièces de monnaie

• 2 graines de haricot

• 2 petits dés

À toi de jouer !

1 Place les petits objets par 2 dans chacune des boîtes.

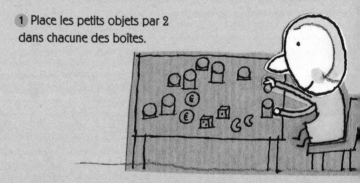

2 Referme bien les couvercles et mélange les boîtes.

3 Devine quels objets renferme chacune des boîtes en la secouant.

En fonction de leur matière, les objets ne produisent pas le même son : ils n'ont pas le même timbre.

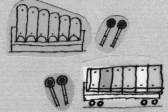

Ainsi le xylophone, muni de lames en bois, ne fera pas le même son que son cousin, le vibraphone, muni de lames en métal.

4 Vérifie en ouvrant les boîtes.

Le memo-son

Tu as sûrement déjà joué au Memory avec des images. Mais connais-tu le jeu du Memo-son ?

1 Forme 5 paires de boîtes identiques en mettant le même objet dans 2 boîtes.

2 Referme bien les couvercles et mélange les boîtes.

3 Aligne les boîtes sur une table.

Le but du jeu : retrouver les 2 boîtes qui font le même son.
Le premier joueur choisit 2 boîtes et les secoue : si elles font le même son, il les garde et rejoue. Sinon, il les repose et c'est au tour du joueur suivant.

Il te faut :
• 2 billes
• 2 graines de haricot
• 2 pièces de monnaie
• 10 petites boîtes
• 2 petites cuillères de riz
• 2 petites cuillères de semoule

À la fin, chaque joueur ouvre ses boîtes pour vérifier les paires ! Le gagnant est celui qui a le plus de paires.

47

Fabrique des sons avec des verres

Pourras-tu créer trois sons différents avec des verres identiques ?

Il te faut :

- 3 verres identiques en verre
- de l'eau
- du riz
- de la compote ou du yaourt
- un crayon

À toi de jouer !

1 Remplis à moitié les 3 verres avec :

de l'eau   du riz   de la compote ou du yaourt

Si tu fais l'expérience avant l'heure du goûter, tu pourras ensuite manger la compote.

Place les verres au milieu de la table. Cela évitera une expérience qui casse et qui mouille !

2 Tiens le crayon entre deux doigts.
Frappe légèrement le haut
de chaque verre avec le crayon
en le faisant rebondir.

Entends-tu le même son ? Essaie avec d'autres
ingrédients. Tu peux écouter en fermant les yeux,
cela permet de mieux se concentrer.

Maintenant saurais-tu faire 3 sons
différents avec 3 verres identiques
et juste de l'eau ?

Réponse

Après les avoir nettoyés, remplis les 3 verres
avec des quantités d'eau différentes.
Frappe-les légèrement avec le crayon.

Écoute le son qu'ils font :
le verre le plus rempli fait un son plus grave ;
le moins rempli fait un son plus aigu.
Tu as construit un « aquaphone » :
c'est comme un xylophone, mais avec de l'eau !

Joue de la musique avec le peigne à sons

Fais des sons avec un peigne en plastique.

Il te faut :

- un peigne fin en plastique avec des dents de plus en plus petites d'un côté

À toi de jouer !

Recherche toutes les façons possibles de faire des sons avec le peigne.

1 Tu peux taper le peigne contre une casserole.

2 Tu peux aussi frotter les dents du peigne avec ton doigt.

Écoute le son que font les objets. Lequel préfères-tu ?

3 Si ça fait un peu mal au doigt, essaie de frotter le peigne avec un objet : une carte, un crayon ou une pièce de monnaie par exemple.

Jouer un air de musique avec un peigne, c'est possible !

Tiens ton peigne debout en mettant les plus petites dents vers le haut. Avec ton doigt ou l'objet que tu préfères, frotte-le à différentes hauteurs. Les sons sont différents !

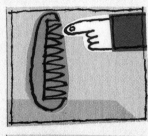

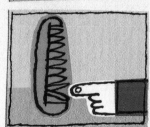

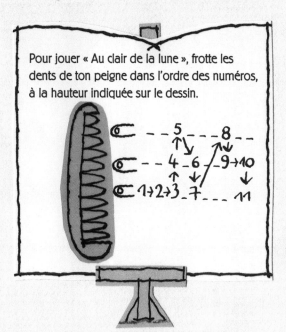

Pour jouer « Au clair de la lune », frotte les dents de ton peigne dans l'ordre des numéros, à la hauteur indiquée sur le dessin.

Jouer d'un instrument de musique demande toujours un peu d'entraînement avant d'obtenir un résultat, alors essaie plusieurs fois. Amuse-toi aussi à retrouver d'autres airs. Tu peux même composer toute une musique, maintenant que tu es « peigniste » !

Quel son agréable !

On n'entend pas grand chose !

Attendez, j'ai une idée !

Avec le peigne, essaie de fabriquer un son beaucoup plus fort.
À ton avis, comment faut-il faire ?

Réponse

Pose le peigne debout sur une table. Frotte les dents et écoute !

Pose ton oreille sur la table. Entends-tu quelque chose, maintenant ?

Ah, oui ! J'entends !

Recommence l'expérience en posant ton peigne sur une nappe, un livre, une vitre…

49

Fais danser des grains

Essaie de faire sauter des aliments en grains ou en poudre sans les toucher, ni souffler dessus.

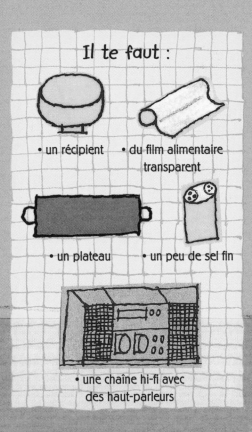

Il te faut :

• un récipient

• du film alimentaire transparent

• un plateau

• un peu de sel fin

• une chaîne hi-fi avec des haut-parleurs

À toi de jouer !

1 Recouvre le récipient avec le film alimentaire.

Le film doit être bien tendu !

2 Pose le récipient sur le plateau, tout près d'un haut-parleur de la chaîne hi-fi.

3 Place un peu de sel fin sur le film. Demande à un adulte de mettre une musique bien rythmée.

4 Regarde les grains sauter ! On croirait qu'ils dansent sur le rythme de la musique !

Le son qui sort du haut-parleur fait trembler le film transparent. C'est ce qui fait sauter les grains !

À la montagne, l'hiver, un son très fort peut faire trembler des plaques de neige et déclencher une avalanche !

Organise une course de grains sauteurs

Il te faut :

- le matériel de l'expérience précédente
- de la semoule
- du riz
- des herbes séchées

À toi de jouer !

1 Sur le film transparent, dessine une ligne de départ, une ligne d'arrivée et des couloirs de course.

2 Place la ligne de départ du côté du haut-parleur.

3 Dépose, dans chaque couloir, une sorte de grains.

4 Demande à un adulte de mettre de la musique.

Les feutres effaçables ou à CD écrivent très bien sur le plastique !

La grande course de grains sauteurs a commencé ! À ton avis, qui va gagner ?

Si les grains ne sautent pas, c'est peut-être qu'ils sont trop lourds ou que le film est mal tendu.

Peut-on sentir un son avec sa main ?

As-tu déjà senti le son de ta voix avec la main ?

Il te faut :

• seulement ton corps et ta voix

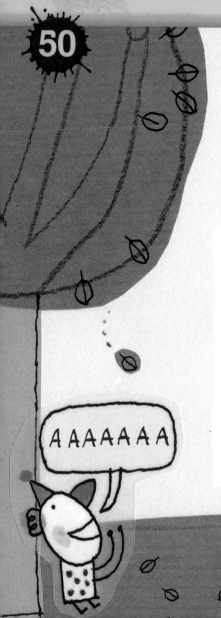

A A A A A A A

À toi de jouer !

Fais un long : « OUUUUUUUUUUUUU ! » comme le loup.

Pose, sans appuyer, tes doigts à plat sur ta gorge, puis de chaque côté de ton nez.

Tu sens ta gorge ou bien tes narines trembler. Ça te chatouille légèrement les doigts.

Tu as senti des vibrations produites par ta voix !

D'autres parties de ton corps vibrent quand tu émets des sons : continue à chercher !
Essaie aussi avec d'autres sons longs comme : « Aaaaaa... », « Onnnnnn... » ou « Iiiiii... ».

Papa, fais « AAAA... », que j'essaie de voir ta voix !

D'où vient le son de notre voix ?

À l'intérieur de la gorge, nous avons deux cordes vocales.

cordes vocales écartées, vues du dessus

cordes vocales rapprochées, vues du dessus

À chaque fois que nous parlons, elles s'écartent ou se resserrent. Elles se mettent alors à vibrer et produisent des sons. Ces sons résonnent dans d'autres parties de notre corps.

Saurais-tu produire plein de sons,
drôles ou étonnants, avec seulement ton corps
et sans utiliser ta voix ?

Pour le savoir, propose à tes amis de jouer avec toi.
Installez-vous dans un endroit calme pour bien entendre les sons.

Le jeu du son mystérieux

Un joueur fait un son, juste avec son corps. Les autres joueurs, qui ne regardent pas,
doivent deviner avec quelle partie de son corps il l'a fait. S'ils se trompent, il a gagné !

Le jeu de la drôle de chaîne

• Le premier joueur fait un son qui l'amuse.
• Le deuxième doit reproduire le son du premier, puis ajouter un nouveau drôle de son.
• Ainsi de suite, chaque joueur doit reproduire la chaîne de sons avant d'en ajouter un nouveau.
• Le premier qui fait une erreur en reprenant la chaîne a perdu !

**Quelques façons
de produire des sons
sans utiliser sa voix :**

Fais apparaître l'air invisible

Peut-on voir l'air ? Non. Alors, comment faire pour montrer qu'il est là ?
En l'obligeant à faire du bruit, à se transformer en vent ou en bulles d'air…
Cherche, autour de toi, les meilleurs « pièges à air ».

Il te faut :

- les fiches d'expériences (p. 125-126)
- une cuvette en plastique remplie d'eau
- des objets qui pourraient piéger l'air :

un flacon de shampooing vide   un ballon gonflable   une paille   un morceau de carton   une éponge

une bouteille en plastique vide   une feuille de papier   un tube en carton   autre

- des parties de ton corps qui pourraient piéger l'air :

ta bouche   ton nez   ta main   autre

À toi de jouer !

1 Choisis une fiche d'expérience.
2 Teste les objets.
3 Note tes résultats avec un crayon.

Expérience 1 : Comment sentir l'air sur son corps ?

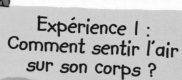

> Et si je te faisais un vent d'air ?

> Je ne sens rien du tout.

En faisant du vent, par exemple. Si tu sens du vent, tu sens de l'air qui bouge. Prends la fiche 1 et fabrique des vents qui chatouillent ou qui décoiffent.

Expérience 2 : Comment obliger l'air à faire du bruit ?

> Hé, hé, je vais faire siffler l'air !

> Comment ? Il n'a même pas de bouche !

L'air immobile est silencieux. Mais si on l'oblige à bouger vite, il peut souffler, gémir, pétarader… Prends la fiche 2 et oblige l'air à siffler ou à pétarader.

Expérience 3 : Peut-on voir l'air ?

> Et si on coloriait l'air ?

> J'ai une autre idée, avec de l'eau !

On peut obliger l'air à se montrer… sous forme de bulles. Prends la fiche 3 et fais apparaître des bulles d'air dans l'eau.

Expérience 4 : Invente des pièges à air !

> Tu veux essayer de me chatouiller le cou ?

> Tu sais faire des guilis d'air ?

Toi aussi, tu peux inventer de drôles de machines pour piéger l'air. Prends la fiche 4.

Lance un ballon-fusée à réaction

Apprends à lancer un ballon-fusée. Ensuite, tu pourras essayer de battre les records de Frisson et ses amis.

À toi de jouer !

Il te faut :

- 2 ballons
- 15 mètres de ficelle fine de cuisine
- du ruban adhésif
- une paille
- une paire de ciseaux
- 2 personnes pour tenir la ficelle (ou des chaises, des arbres, des poteaux…)

1 Cherche un espace assez grand pour tendre la ficelle.

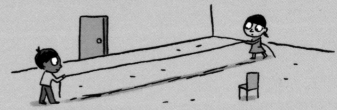

2 Prépare les pièces de la fusée :
• Avec l'aide d'un adulte, coupe un morceau de paille de 10 cm. Il doit être sans coude.

• Gonfle un ballon sans faire de nœud et enfile l'autre ballon au bout.

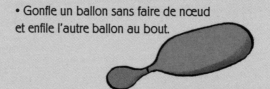

• Prépare 2 morceaux de ruban adhésif de 10 cm chacun.

3 Assemble la fusée. Sais-tu par quoi commencer ?
Dans quel sens faut-il fixer le ballon pour qu'elle parte à l'endroit ?
Lorsqu'elle sera terminée, elle doit ressembler à ça :

Si ton premier lancement a raté, ne te décourage pas.
Essaie de comprendre pourquoi, et recommence 1 fois, 2 fois,
107 fois… Ce sera peut-être toi qui battra le record du monde
des ballons-fusées !

Mon record,
c'est 12 mètres !

Mon record, c'est
d'envoyer une fusée
à l'étage au-dessus !

3-2-1-0… Partez !

Les vraies fusés fonctionnent-elles comme les ballons-fusées ?

Oui et … non !
OUI, parce que dans les deux cas, du gaz sort très vite par un trou
à l'arrière, et il pousse les fusées vers l'avant. Le ballon et la fusée
utilisent le principe de réaction.
NON, parce qu'on met dans la fusée des produits, les ergols, qui,
en brûlant, produisent des gaz très chauds.
Dans le ballon, on met de l'air.

Enquête sur l'air

L'air est partout autour de nous, mais on ne le voit pas car il est invisible…
Pour voir l'air, il faut mener l'enquête !

À toi de jouer !

Il te faut :

- un adulte
- un saladier transparent rempli d'eau
- un sac en plastique transparent assez fin
- un cure-dents

1 Capture de l'air dans ton sac et fais un nœud avec les anses pour bien le fermer.

2 Demande à l'adulte de maintenir le sac fermé sous l'eau et fais un trou avec le cure-dents.
Que vois-tu apparaître ?

3 Observe d'où viennent les bulles. À ton avis, comment peux-tu empêcher les bulles de s'échapper ?

Ne joue pas avec le sac en plastique, cela pourrait être dangereux !

Qu'est-ce que c'est que ces petites bulles ?

C'est de l'air bien sûr ! L'air ne se mélange pas avec l'eau. Quand on perce un sac sous l'eau, l'air s'échappe par le petit trou en faisant des bulles : alors, on peut voir l'air !

54

Dirige des bateaux avec du vent

Fabrique un bateau et souffle dessus pour qu'il navigue sur l'eau.

Il te faut :

- du papier d'aluminium (un carré de 10 cm de côté environ)

- une paille

- une petite bouteille vide en plastique

- une cuvette en plastique remplie d'eau

- un verre (ou un caillou)

À toi de jouer !

1 Fabrique une barque avec le papier d'aluminium. Elle doit flotter et être assez petite pour entrer dans la bouteille.

2 Installe un circuit dans une cuvette d'eau : au centre, un verre ou un caillou. La bouteille sera le « garage » du bateau.

3 Fais du vent avec la paille : souffle pour diriger le bateau autour du verre, et le faire rentrer dans son garage. Réussiras-tu à faire un tour sans que le bateau ne touche les bords de la cuvette ?

Dessine avec le vent

Souffle de la couleur avec une paille, pour créer des plantes ou des personnages imaginaires.

Il te faut :

- de la gouache très liquide ou de l'encre colorée

- un pinceau

- une paille

- une feuille de papier

À toi de jouer !

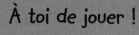

1 Avec le pinceau, dépose une grosse goutte de peinture ou d'encre sur la feuille de papier.

Installe-toi dans un endroit qui ne craint pas les taches. Mets un tablier.

2 Souffle avec la paille pour faire glisser la couleur. À toi d'inventer !

On a parfois la tête qui tourne si on souffle longtemps

C'est normal car on vide profondément ses poumons. Pour que cela passe, il faut rester assis quelques instants et respirer tranquillement sans forcer.

56

Fais flotter une boulette dans l'air

Fais décoller une boulette en soufflant, puis fais-la flotter le plus longtemps possible.

Il te faut :

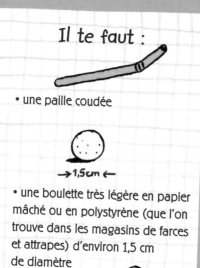

• une paille coudée

→ 1,5 cm ←

• une boulette très légère en papier mâché ou en polystyrène (que l'on trouve dans les magasins de farces et attrapes) d'environ 1,5 cm de diamètre

• une paire de ciseaux

À toi de jouer !

Coupe bien 3 fois la même longueur.

1,5 cm

1 Avec l'aide d'un adulte, découpe le bout le plus court de la paille en 3 parties.

2 Plie les 3 morceaux pour qu'ils restent écartés comme les pétales d'une fleur. Plie la paille à angle droit.

3 Place délicatement la boulette au centre des pétales, et souffle. Essaie de la maintenir en l'air très longtemps.

Défi pour un champion !

Peux-tu incliner la paille comme ça vers le bas et faire flotter la boulette ? C'est très difficile. Mais en s'exerçant beaucoup, beaucoup, beaucoup, c'est possible d'y arriver.

Fabrique une cloche à air

Avec la cloche, fais flotter sous l'eau une grosse pomme de terre.

Il te faut :

- un gobelet en plastique transparent ou un pot de yaourt vide

- un élastique épais

- une grosse pomme de terre

- une paille coudée

- une cuvette en plastique profonde ou une casserole remplie d'eau

À toi de jouer !

1 Plonge la pomme de terre dans l'eau pour vérifier qu'elle coule bien.

2 Installe la cloche à air sur la pomme de terre : fixe le gobelet avec l'élastique. Il doit être bien tendu pour que le gobelet tienne solidement.

3 Plonge la pomme de terre et sa cloche au fond de l'eau. Bascule-les pour que le gobelet soit plein d'eau.

4 Plie la paille. Glisse l'extrémité dans le gobelet et souffle doucement. La pomme de terre remonte !

Toi aussi, tu peux inventer toutes sortes de façons de jouer avec une cloche à air.

J'essaie de remonter 2 cuillères, et après un gros caillou.

J'ai mis un bonhomme dans la cloche, c'est un plongeur.

Quand j'appuie, ça fait le yoyo.

Une cloche ou un ballon d'air, sous l'eau, c'est très utile

Les ballons des archéologues
Certains archéologues utilisent des ballons de levage pour récupérer des objets très lourds et fragiles tombés au fond des mers. Ils attachent des gros ballons et les gonflent doucement. Les objets remontent sans effort…

La cloche des plongeurs
Elle a longtemps été utilisée par les hommes plongeurs pour travailler plus facilement sous l'eau. Dans la cloche, il y avait de l'air. Le plongeur s'y glissait. Il pouvait alors respirer et se reposer.

58

Transporte de l'eau avec une paille

Est-ce possible de remplir un verre d'eau avec une paille et une seule main ? Peut-être que l'air peut t'aider...

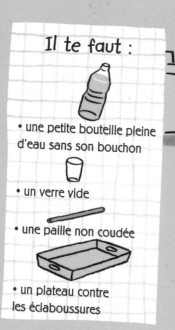

Il te faut :

- une petite bouteille pleine d'eau sans son bouchon

- un verre vide

- une paille non coudée

- un plateau contre les éclaboussures

À toi de jouer !

1 Pose le verre et la bouteille sur le plateau. Tu ne dois plus les bouger.

2 Prends la paille dans une main, et mets ton autre main derrière ton dos.

Peux-tu remplir le verre ?
Si tu réussis sans regarder la réponse p. 127, tu es très fort.

C'est interdit de mettre la paille dans la bouche, de la plier ou de l'aplatir. Et il faut garder une main derrière le dos !

59

Empêche une bouteille trouée de fuir

Est-ce possible d'empêcher une bouteille percée de fuir, uniquement avec son bouchon ? Peut-être que l'air peut t'aider...

Il te faut :

- une bouteille d'eau vide avec son bouchon

- une cuvette en plastique

- de l'eau

- une paire de ciseaux

À toi de jouer !

1 Avec l'aide d'un adulte, perce un petit trou dans le bas de la bouteille. Pose-la dans la cuvette. Retire le bouchon.

2 Remplis la bouteille d'eau. Elle fuit ?

Interdiction de boucher le trou avec un doigt ou du ruban adhésif.

Juste avec le bouchon... Hé hé !

Peux-tu l'empêcher de fuir, juste avec son bouchon ?
Si tu réussis sans regarder la solution p. 127, tu es très fort.

60 Fais glisser des pots de yaourt sur un coussin d'air

Exerce-toi à déplacer un pot de yaourt avec une paille sans le toucher. Puis, avec des copains, faites la course des pots de yaourt aéroglisseurs !

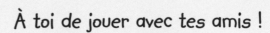

Il faut :

- un pot de yaourt en plastique vide et propre pour chacun
- une paille pour chacun
- une paire de ciseaux
- un ou deux amis

À toi de jouer avec tes amis !

1 Avec l'aide d'un adulte, perce un trou d'environ 2 cm au fond du pot de yaourt.

2 Pose le pot de yaourt à l'envers sur une surface lisse. Entraîne-toi à le faire glisser le plus vite possible en soufflant au-dessus du trou.

Tout est prêt ?
Fais avec tes amis la course des pots aéroglisseurs.

Le pot se tortille, frétille, sautille quand tu souffles au-dessus du trou ?

C'est parce qu'il flotte sur un petit coussin d'air.

L'air cherche à s'échapper du pot vers le bas, ce qui soulève un peu les bords. Tu peux sentir le courant d'air en posant un doigt humide à côté.

doigt humide

Il existe des gros bateaux qui glissent sur un coussin d'air. Ce sont les aéroglisseurs. Beaucoup d'air est envoyé sous leur coque, ce qui les soulève au-dessus de l'eau. Ils avancent ainsi facilement sans toucher l'eau, en glissant sur l'air.

**Squelette Kicos avec l'expérience 9 :
« Fabrique Kicos, le petit squelette ».**
Découpe les éléments en suivant les pointillés.
Pour que le squelette soit solide, tu peux aussi coller
la feuille sur un carton léger avant de découper.

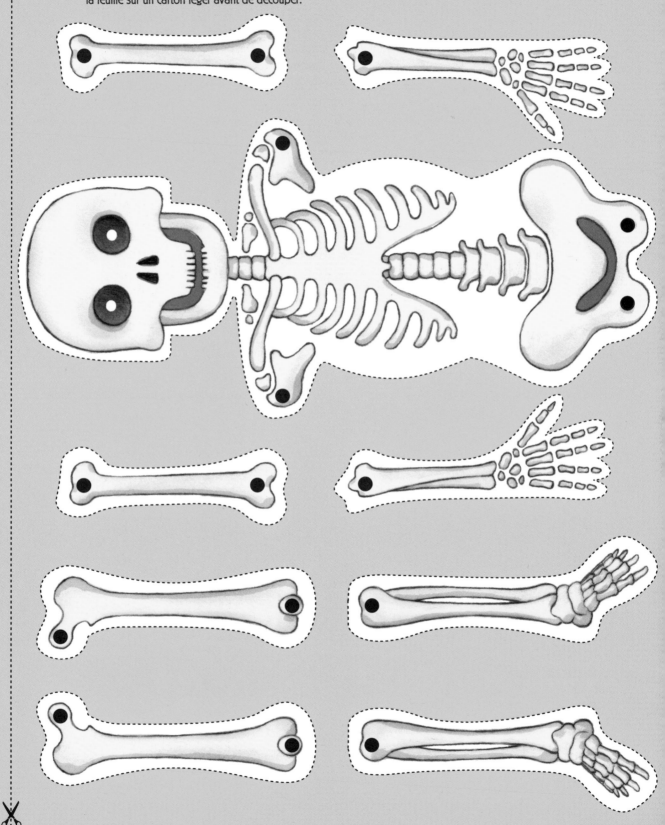

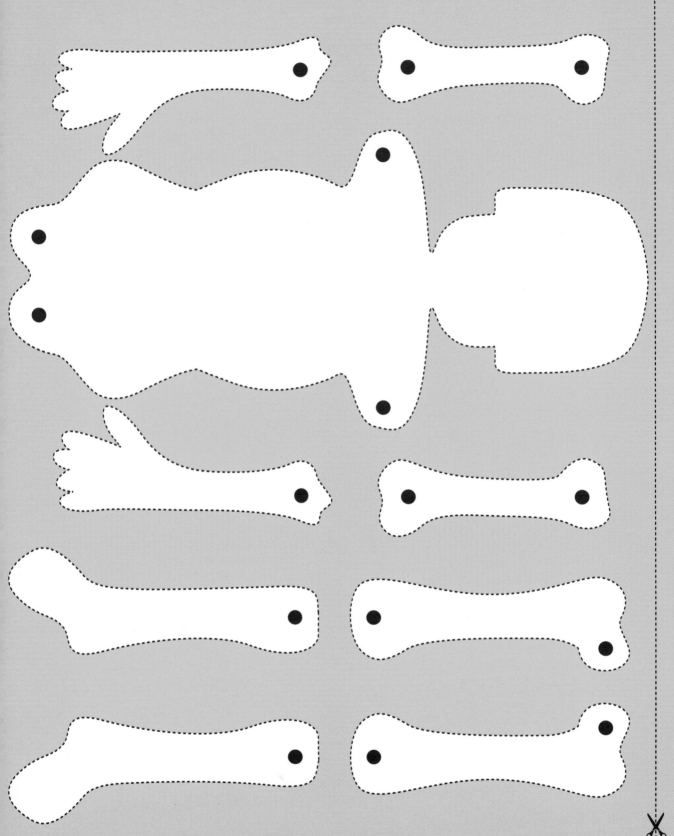

Fiches à utiliser avec l'expérience 18 : « Comment réveiller des graines qui dorment ».
Découpe les fiches en suivant les pointillés.

1 FICHE DE D'EXPÉRIENCE

Les graines peuvent-elles germer dans le noir ?

Préparation :

• Numérote 2 pots identiques.
• Remplis-les à moitié de terreau.
• Mets 6 graines dans chaque pot.
Enfonce-les légèrement dans la terre.
• Arrose un peu.
• Place le pot 1 dans le noir et le pot 2
à la lumière, mais pas au soleil.

• Brumise régulièrement : la terre doit
rester humide. Au bout de 4 jours,
note les résultats au dos de cette fiche.

2 FICHE D'EXPÉRIENCE

Les graines peuvent-elles germer sans terre ?

Préparation :

• Numérote 2 couvercles identiques.
• Mets du terreau dans le couvercle 1
et du coton dans le couvercle 2.
• Pose 6 graines dans chaque couvercle.
• Arrose un peu. Place les couvercles
à la lumière, mais pas au soleil.

• Brumise régulièrement : la terre
et le coton doivent rester humides.
Au bout de 4 jours, note les résultats
au dos de cette fiche.

3 FICHE D'EXPÉRIENCE

Les graines d'orge poussent-elles mieux si on les arrose énormément ?

Préparation :

• Numérote 3 pots identiques.
• Remplis-les à moitié de terreau.
• Mets 6 graines dans chaque pot.
Enfonce-les légèrement dans la terre.
• Place les 3 pots à la lumière,
mais pas au soleil.
• Organise l'arrosage :

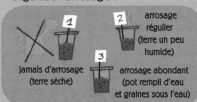

jamais d'arrosage (terre sèche)

arrosage régulier (terre un peu humide)

arrosage abondant (pot rempli d'eau et graines sous l'eau)

• Au bout de 4 jours, note les résultats
au dos de cette fiche.

4 FICHE DE DÉGUSTATION

Les graines peuvent-elles germer dans le froid ?

Préparation :

• Numérote 2 pots identiques.
• Remplis-les à moitié de terreau.
• Place 6 graines dans chaque pot.
Enfonce-les légèrement dans la terre.
• Arrose un peu.
• Place le pot 1 dans le bac à glace
du réfrigérateur. Place le pot 2 sur une
étagère, à l'air libre, mais pas au soleil.

-2°C   20°C
température du réfrigérateur   température de la maison

• Brumise régulièrement : la terre doit
rester humide. Au bout de 4 jours,
note les résultats au dos de cette fiche.

RÉSULTATS DE L'EXPÉRIENCE

Les graines peuvent-elles germer sans terre ?

Résultats		
	Couvercle 1 avec du terreau	Couvercle 2 avec du coton
Au bout de 4 jours, combien de graines ont-elles germé ?	....	....
Au bout de 10 jours, les pousses grandissent-elles bien ?	....	....

Qui avait raison, Plume ou Titou ?

....

RÉSULTATS DE L'EXPÉRIENCE

Les graines peuvent-elles germer dans le noir ?

Résultats		
	Pot 1 dans le noir	Pot 2 à la lumière
Au bout de 4 jours, combien de graines ont-elles germé ?	....	....
Au bout de 10 jours, les pousses grandissent-elles bien ?	....	....

Qui avait raison, Plume ou Titou ?

....

RÉSULTATS DE L'EXPÉRIENCE

Les graines peuvent-elles germer dans le froid ?

Résultats		
	Pot 1 dans le froid	Pot 2 température ambiante
Au bout de 4 jours, combien de graines ont-elles germé ?	....	....
Au bout de 10 jours, les pousses grandissent-elles bien ?	....	....

Qui avait raison, Plume ou Titou ?

....

RÉSULTATS DE L'EXPÉRIENCE

Les graines d'orge poussent-elles mieux si on les arrose énormément ?

Résultats			
	Pot 1 sec	Pot 2 humide	Pot 3 rempli d'eau
Au bout de 4 jours, combien de graines ont-elles germé ?	....	....	....
Au bout de 10 jours, les pousses grandissent-elles bien ?	....	....	....

Qui avait raison, Plume ou Titou ?

....

Fiches à utiliser avec l'expérience 25 : « Pars à la découverte du ciel étoilé ».
Découpe les fiches en suivant les pointillés.

1 RECONNAIS LES DIFFÉRENTES LUMIÈRES

Note sur ta fiche quand tu as vu et reconnu chacune de ces lumières.

Étoile Lumière qui scintille un peu, parfois légèrement colorée.	Date : .... Heure : .... Lieu : ....
Planète Lumière qui ne scintille pas. Planètes facilement visibles à l'œil nu : Mars, Vénus, Jupiter, Saturne.	Date : .... Heure : .... Lieu : ....
Yeux des animaux Deux lumières. Se déplacent près du sol, puis disparaissent.	Date : .... Heure : .... Lieu : ....

2 TROUVE LA GRANDE OURSE

Cherche une forme de casserole composée de 7 étoiles.

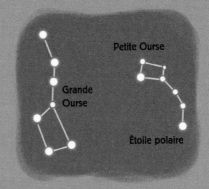

Petite Ourse

Grande Ourse

Étoile polaire

L'Étoile polaire :
Cherche la Petite Ourse, qui ressemble à la Grande Ourse, en plus petit. L'Étoile polaire est au bout.

3 REPÈRE UNE ÉTOILE FILANTE

Note sur ta fiche si tu as vu un événement rare. Certains sont prévisibles : demande à tes parents de te prévenir !

Étoile filante	Date : .... Heure : .... Lieu : ....
Chute de grosse météorite (Très rare !)	Date : .... Heure : .... Lieu : ....

La Grande Ourse

Ce groupe d'étoiles (on l'appelle une « constellation ») a plusieurs noms. Choisis celui que tu préfères, ou inventes-en un !

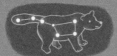

La Grande Ourse
(Europe)

Le Chariot
(Babylone)

La Casserole
(Occident)

Le Dromadaire
(Afrique du Nord)

L'Étoile polaire

Elle indique la direction du pôle Nord. Elle est si loin que la lumière que tu vois a mis 430 ans à arriver jusqu'à toi. Si elle explosait cette nuit, on verrait l'explosion dans 430 ans.

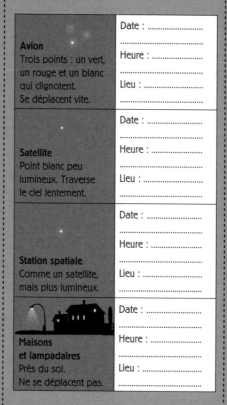

Avion
Trois points : un vert, un rouge et un blanc qui clignotent. Se déplacent vite.

Date : ....
Heure : ....
Lieu : ....

Satellite
Point blanc peu lumineux. Traverse le ciel lentement.

Date : ....
Heure : ....
Lieu : ....

Station spatiale
Comme un satellite, mais plus lumineux.

Date : ....
Heure : ....
Lieu : ....

Maisons et lampadaires
Près du sol. Ne se déplacent pas.

Date : ....
Heure : ....
Lieu : ....

Passage de comète
(Prévisible)

Date : ....
Heure : ....
Lieu : ....

Éclipse de Soleil
(Prévisible)

La Lune passe devant le Soleil et le cache.

Date : ....
Heure : ....
Lieu : ....

Éclipse de Lune
(Prévisible)

La Lune passe dans l'ombre de la Terre.

Date : ....
Heure : ....
Lieu : ....

Fiches à utiliser avec l'expérience 44 : « Découvre le monde du son ».
Découpe les fiches en suivant les pointillés.

1 FICHE D'EXPÉRIENCE

Qui fait du bruit dans la cuisine ?

J'entends le son...	À un pas	En collant l'oreille	Je n'entends rien
du réfrigérateur	....	....	....
de la mousse dans l'eau de vaisselle	....	....	....
d'un glaçon dans un verre d'eau	....	....	....
des céréales dans du lait	....	....	....

Pars à la recherche de tous les autres sons de la maison !

2 FICHE D'EXPÉRIENCE

Tous les sons ont-ils la même durée ?

Il te faut écouter :

• L'intérieur d'un verre

• La tonalité du téléphone quand tu décroches

• Le tic-tac d'une montre ou d'un réveil

• Le cœur de quelqu'un

• Une voiture qui passe

• Un insecte qui vole ...

Note tes résultats sur le tableau au dos de cette fiche.

3 FICHE D'EXPÉRIENCE

Écoute et imagine

Il te faut :

• Un rouleau en carton de papier-toilette

• Un rouleau en carton de papier essuie-tout

• Un long rouleau de papier cadeau

Cette expérience peut se faire à plusieurs. Chaque joueur place, à tour de rôle, un rouleau contre son oreille. Il écoute puis dit, écrit ou dessine ce que le son lui fait imaginer : le bruit du vent ? Un train ? Un ruisseau ? Un avion ? Autre chose ?
Chacun note ses résultats sur le tableau au dos de cette fiche.

4 FICHE D'EXPÉRIENCE

Aimons-nous tous les mêmes sons ?

Cette expérience peut se faire à plusieurs. Pour donner son avis sur ces sons, chaque joueur dessine une petite tête qui dit :

• j'aime

• je n'aime pas

• ça dépend

Note les résultats sur le tableau au dos de cette fiche.

FICHE D'EXPÉRIENCE

Si le son dure, coche la case :
son continu.
Si le son est court et répété,
coche la case : son discontinu.

	Son continu	Son discontinu	Ça dépend
L'intérieur d'un verre			
La tonalité du téléphone			
Le tic-tac d'une montre ou d'un réveil			
Le cœur de quelqu'un			
Une voiture qui passe			
Un insecte qui vole			

FICHE D'EXPÉRIENCE

Qui fait du bruit dans le corps ?

J'entends le son...	À un pas	En collant l'oreille	Je n'entends rien
du cœur de quelqu'un	....	....	....
du ventre de quelqu'un	....	....	....
de l'oreille de quelqu'un	....	....	....
de quelqu'un qui mange des chips	....	....	....

Recherche d'autres parties
du corps à écouter !

FICHE D'EXPÉRIENCE

Chaque joueur dessine une petite tête
dans les cases du tableau.

Le bruit...	Joueur 1	Joueur 2	Joueur 3	Joueur 4 ....
de la pluie				
du tonnerre				
d'un feu d'artifice				
d'un chien qui aboie				
de la sirène des pompiers				
d'une porte qui grince				

FICHE D'EXPÉRIENCE

Chaque joueur écrit ou dessine dans les cases
ce à quoi les sons lui font penser.

	Rouleau de papier-toilette	Rouleau de papier essuie-tout	Rouleau de papier cadeau
Joueur 1			
Joueur 2			
Joueur 3			
Joueur 4			

En réalité, ce que tu entends, c'est l'air qui
bouge et rebondit sur les parois du rouleau.

Fiches à utiliser avec l'expérience 51 : « Fais apparaître l'air invisible ».
Découpe les fiches en suivant les pointillés.

1 FICHE D'EXPÉRIENCE

Comment faire du vent ?

Avec quoi peux-tu fabriquer un vent léger qui chatouille les yeux, et un vent fort qui emmêle les cheveux ?

Je fabrique...	... un vent fort	... un vent léger	... pas de vent
flacon			
ballon			
paille			

2 FICHE D'EXPÉRIENCE

Comment obliger l'air à faire du bruit ?

Avec quoi peux-tu faire siffler ou pétarader l'air ?

J'entends ...	... l'air pétarader	... l'air siffler	... aucun bruit
flacon			
ballon			
bouteille			

3 FICHE D'EXPÉRIENCE

Comment voir des bulles ?

Avec quoi peux-tu voir des bulles d'air ? Plonge les objets dans l'eau et observe.

Je peux voir...	... des bulles	... pas de bulles
flacon		
ballon		
paille		

4 FICHE D'EXPÉRIENCE

Invente des pièges à air

Toi aussi, tu peux imaginer des pièges à air comme ceux-ci et les dessiner.

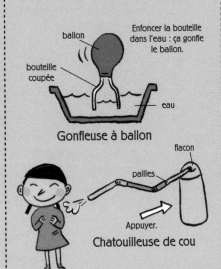

Gonfleuse à ballon

Chatouilleuse de cou

COMMENT OBLIGER L'AIR À FAIRE DU BRUIT ?

J'entends ...	... l'air pétarader	... l'air siffler	... aucun bruit
éponge			
bouche			
tube en carton			
paille			
main			

Selon la manière dont l'air sort de l'objet, il produit des bruits différents.

COMMENT FAIRE DU VENT ?

Je fabrique...	... un vent fort	... un vent léger	... pas de vent
carton			
bouche			
nez			
papier			
main			

Le vent, c'est de l'air qui se déplace.

INVENTE DES PIÈGES À AIR !

Pièges à air inventés par :

....

COMMENT VOIR DES BULLES ?

Je peux voir...	... des bulles	... pas de bulles
éponge		
papier		
main		
bouteille		
carton ondulé		

Les bulles, ce sont des « paquets » d'air qui remontent à la surface de l'eau.

Tu as réalisé certaines expériences de ce livre ?
Ces expériences ont l'air drôles.

C'est vrai, mais elles sont aussi très sérieuses.
En les faisant, tu as exploré des phénomènes chimiques,
tu as utilisé des propriétés physiques très importantes,
tu as fait de la biologie. Tu as pu découvrir qu'il se passe
des choses incroyablement étranges tout près de toi...

Réponses

page 41

radius

cubitus

humérus

page 48

Expérience 1
Une graine peut-elle germer dans le noir ?
Oui. Le bébé plante peut vivre sans lumière pendant qu'il reste des réserves dans la graine. Ensuite, la plante a besoin de lumière pour fabriquer sa nourriture, sinon elle meurt.

Expérience 2
Une graine peut-elle germer sans terre ?
Oui. Les premiers jours, le bébé plante peut se nourrir avec les réserves de la graine. Mais quand la graine est vide, la petite plante a besoin de lumière, d'eau et des aliments qui sont dans la terre.

Expérience 3
Les graines d'orge poussent-elles mieux si on les arrose énormément ?
Pas exactement : au début, elles ont besoin de beaucoup d'eau pour germer. Mais ensuite, si on arrose trop la plante qui grandit, on risque d'empêcher ses racines de respirer.

Expérience 4
Les graines peuvent-elles germer dans le froid ?
Non. Le froid les endort, comme si c'était l'hiver. Elles attendent que la température remonte assez pour germer.

page 75

Pose 3 pyramides en triangles.

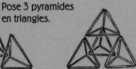
Pose la dernière pyramide sur les sommets des trois autres. Fixe-la avec 3 « chenilles » : et voilà !

page 114

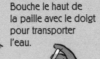

Enfonce la paille dans la bouteille pour prendre de l'eau.

Bouche le haut de la paille avec le doigt pour transporter l'eau.

Enlève le doigt pour que l'eau coule.

Si ça ne marche pas, essaie avec une paille plus grosse.
Pourquoi l'air peut-il t'aider ? Parce qu'il appuie sur la paille.

Si tu bouches la paille avec ton doigt, l'air appuie assez fort sur le trou en bas pour empêcher l'eau de sortir.

Mais si tu enlèves le doigt, l'air appuie aussi en haut de la paille, et l'eau réussit à couler.

page 115

Si tu visses le bouchon et que tu n'appuies pas sur la bouteille, l'eau s'arrêtera de couler.

Pourquoi l'eau ne coule-t-elle pas par le trou ? Parce que l'air appuie sur le trou.

À cause de son poids, l'eau est entraînée vers le bas : elle devrait donc couler par le petit trou. Mais si le bouchon est fermé, l'air à l'extérieur appuie assez fort sur ce petit trou pour empêcher l'eau de sortir.

Si on ouvre le bouchon, l'air entre en haut de la bouteille. Maintenant, l'air et l'eau poussent suffisamment fort dans la bouteille pour que l'eau réussisse quand même à couler par le petit trou.

Un grand merci aux enfants qui ont testé ces expériences
Pablo, Roméo, Gabrielle, Eglantine, Louise, Juliette, Gaspar, Esther, Emma, Paul, Julie, Lilas, Heidi, Maud, Léonard, Chloé, Lou, Yumi, Mattéo, Ivan, Manon, Gaspard, Lucas, Lisa et Théo.
Merci aussi à Thierry Daconceicao, Yann Monel, Dorothée Vatinel, Patrick Zambelli, Florence Chanez, Hervé Millancourt, Diane Azria, Jean-Pierre Rabiet, Gilles Pellegrini, Isabelle Chavigny et sa classe de CP.

Les illustrateurs

Rémi Saillard
Expériences avec le corps

Vincent Mathy
Expériences avec les plantes

Didier Balicevic
Expériences pour découvrir l'espace

Gaëtan Dorémus
Expériences pour construire

Jérôme Rullier
Expériences avec les sons

Aurélie Guillerey
Couverture, expériences avec l'air, expériences 5, 14, 15, 39, 42, 43, et 53

Dan Kerleroux
Expériences 16 et 17

Les auteurs Delphine Grinberg avec la collaboration de Laure Cassus pour les expériences avec l'air.
Isabelle Chavigny est l'auteur des expériences avec les sons. Isabelle Pellegrini et Karine Eyre sont les auteurs des expériences 5, 14, 15, 39, 42, 43, et 53.

Conseiller éditorial Delphine Grinberg
Conseillers scientifiques Jack Guichard (corps, construire), Michèle Van Hollebeke (plantes, sons, air, miroirs), Cyril Birnbaum (espace), Sophie Bougé.
Direction éditoriale Murielle Couëslan assistée de Marie Kojima, Marine Pijollet et Caroline Chabot (Nathan) Florence Soufflet (Cité des sciences et de l'industrie)
Direction artistique Anne-Catherine Souletie assistée de Marine Debladis, Stéphanie de Vaucher (sons, plantes) et Véronique Gilbert (curieux), Pauline Martin (Nathan)
Maquette Françoise Maurel

Ce livre réunit des extraits de 8 titres publiés précédemment dans la collection Croq'sciences :
Expériences avec le corps, Expériences avec les plantes, Expériences pour découvrir l'espace, Expériences pour construire, Expériences avec les sons, Expériences avec l'air, Expériences pour les petits curieux, Expériences avec les miroirs © Éditions Nathan/Cité des sciences et de l'industrie, 2004, 2005, 2006, 2007, 2008.

Pour la présente édition : © 2013 Éditions Nathan/Établissement public du Palais de la découverte et de la Cité des sciences et de l'industrie.
Éditions Nathan, Sejer 25 avenue Pierre de Coubertin – 75013 Paris, France
ISBN : 978-2-09-254340-5
Achevé d'imprimer en février 2014 par Loire Offset Titoulet à Saint-Étienne (42) - France
N° d'éditeur : 10203479
Dépôt légal : janvier 2013.